D0282851

FOLIO
JUNIOR

Dino Buzzati

La fameuse invasion de la Sicile par les ours

Illustrations de l'auteur

Traduit de l'italien
par Hélène Pasquier

Notes et carnet de lecture
par Bernard Chesnel

GALLIMARD JEUNESSE

Collection dirigée par Jean-Philippe Arrou-Vignod

Pour en savoir plus :
www.cercle-enseignement.fr

Titre original : *La famosa invasione degli orsi in Sicilia*

Dans la nuit des temps, sur les antiques montagnes de Sicile, deux chasseurs capturèrent l'ourson Tonin, fils de Léonce, roi des ours. Mais cela se passait quelques années avant le début de notre histoire.

Les personnages

LE ROI LÉONCE. Roi des ours, fils d'un roi qui lui-même avait un roi pour père ; par conséquent, ours de grande noblesse. Il est grand, fort, courageux (et, qui plus est, intelligent, quoique à un degré peut-être moindre). Nous espérons que vous l'aimerez. Son pelage est magnifique, et il en tire un juste orgueil. Ses défauts ? Il est peut-être un peu naïf, et nous le verrons parfois assez ambitieux. Point de couronne sur la tête : il ne se distingue des autres, outre l'ensemble de sa personne, que par un grand sabre qu'il porte en bandoulière. Précisément pour le rôle qui a été le sien lors de l'invasion de la Sicile, il restera dans la mémoire des hommes ; ou du moins le mériterait-il.

TONIN. Le jeune fils du roi Léonce. Nous ne pouvons en dire grand-chose. Il était encore très petit lorsqu'il fut capturé par deux chasseurs qui l'emmenèrent dans la plaine. Dès lors, nul n'entendit plus parler de lui. Quel sort aura été le sien ?

LE GRAND-DUC. Tyran[1] de Sicile et ennemi juré des ours. Extraordinairement vaniteux, il change de vêtements sept ou huit fois par jour ; sans parvenir cependant à paraître moins laid. Les enfants se moquent de lui en cachette à cause de son grand nez crochu. Pourvu qu'il ne l'apprenne jamais.

LE PROFESSEUR DE AMBROSIIS. Personnage extrêmement important, dont vous ferez bien de retenir tout de suite le nom. Il était astrologue de cour, autrement dit, il étudiait chaque nuit les étoiles (à moins qu'il n'y eût des nuages) et, selon leur position, il annonçait au grand-duc les événements avant qu'ils ne se produisent ; cela grâce à des calculs extrêmement difficiles, du moins d'après lui. Naturellement, ça ne marchait pas toujours ; quelquefois il tombait pile, quelquefois, non. Récemment, bien qu'ayant deviné juste, il a mis le grand-duc dans une colère terrible – nous verrons pourquoi – et il a été chassé du palais de belle manière. En outre, De Ambrosiis se prétend magicien et enchanteur ; jusqu'à présent, il ne l'a jamais prouvé. La vérité, c'est qu'il possède une baguette magique dont il est fort jaloux et dont il ne s'est jamais servi. Il semble, en fait, que cette baguette ne puisse servir que deux fois, après quoi elle n'est plus

1. Tyran : chef d'État qui dispose d'un pouvoir absolu et abuse de son autorité (dictateur).

bonne qu'à être jetée aux ordures. De l'extérieur, à quoi ressemble le professeur De Ambrosiis ? Très grand, maigre, dégingandé, avec une longue barbe pointue. Sur la tête, un haut-de-forme[1] démesuré ; sur le dos, une très vieille houppelande[2] archicrasseuse. Gentil ? Méchant ? Vous en jugerez par vous-mêmes.

L'OURS SALPÊTRE. L'un des plus distingués, intime du roi Léonce. D'une grande beauté, il plaît beaucoup aux ourses. Toujours élégant, beau parleur, il aimerait accéder aux plus hautes charges de l'État. Mais quelle charge Léonce pourrait-il lui confier, dans la solitude des montagnes désertes ? Non, il n'est pas fait pour la vie rude des monts et des glaciers. Salpêtre ne se sentirait à son aise que dans le grand monde, au milieu des réceptions, des bals, des festins.

L'OURS BABBON. Gigantesque, peut-être le plus grand de tous (on dit qu'il dépasse le roi Léonce de toute une tête !). De plus, très valeureux au combat. Sans sa providentielle intervention, l'invasion de la Sicile se serait terminée, avant même que de commencer, par un fiasco[3] abominable.

1. Haut-de-forme : chapeau pour homme de forme haute.
2. Houppelande : manteau ample et sans manches.
3. Fiasco : échec total (familier).

L'OURS THÉOPHILE. Peut-il y avoir plus grand sage ? Il a l'expérience des ans. Le roi Léonce lui demande souvent conseil. Dans notre histoire, il n'apparaîtra que quelques minutes, pas même en chair et en os, comme vous verrez. Mais il est tellement bien que ce serait méchant de ne pas le citer.

L'OURS ÉMERI. De condition modeste, mais d'âme généreuse, et plein de bonne volonté. Le plus souvent, il se tient à l'écart, perdu dans des rêves merveilleux, pleins de batailles et de gloire. Deviendront-ils réalité ? Sauf erreur, un jour ou l'autre, il fera parler de lui.

L'OURS FRANGIPANE. À première vue, vraiment rien de particulier. Mais digne d'admiration pour l'ingéniosité de son esprit. Il se plaît à imaginer quantité de machines et de mécanismes indiscutablement géniaux ; malheureusement, dans la montagne, il ne dispose pas du matériel nécessaire ; aussi n'a-t-il pu, jusqu'à présent, mettre sur pied rien de bien notable. Mais que réserve l'avenir ?

L'OURS JASMIN. Doué d'un rare sens de l'observation, il lui arrive de voir ce que des gens plus instruits que lui ne voient pas. Un beau jour, il deviendra une sorte de détective amateur. Une brave bête à laquelle on peut faire entièrement confiance.

LE SIRE DE MOLFETTE. Prince d'une certaine importance, cousin et allié du grand-duc. Il dispose d'une armée tout à fait étrange et redoutable, telle qu'aucun autre monarque n'en possède. Pour l'instant, nous ne pouvons rien vous dire de plus. Même si vous insistez.

TROLL. Vieil ogre perfide[1] qui habite le château du Tramontin. Il se nourrit de préférence de viande humaine, tendre si possible (mais aussi d'ours, à l'occasion). Tout seul, vieux comme il est, il n'arriverait probablement pas à se la procurer ; c'est précisément pourquoi il a pris à son service le Croquemitaine en personne.

1. Perfide : qui agit de façon traîtresse et sournoise.

LE CROQUEMITAINE. Monstre légendaire et très féroce. Nous estimons préférable, pour l'instant, de ne pas nous étendre. Vous aurez suffisamment peur lorsqu'il entrera brusquement en scène. Inutile de vous effrayer d'avance. Comme disait si justement ce cher ours Théophile, il est toujours assez tôt pour les choses tristes.

LE SERPENT DE MER. Autre monstre, encore plus gigantesque et non moins dangereux ; en revanche, il est plus propre, vivant toujours dans l'eau. Il a la forme d'un serpent, comme son nom l'indique, mais avec la tête et les dents d'un dragon.

LE LOUP-GAROU[1]**.** Troisième monstre. Il se peut qu'il n'intervienne pas dans l'histoire, il ne devrait même pas intervenir si nous sommes bien renseignés. Mais on ne sait jamais. Il pourrait survenir d'un instant à l'autre dans le récit. Et, à ce moment-là, de quoi aurions-nous l'air ?

1. Loup-garou : personnage légendaire prenant l'apparence d'un loup la nuit.

FANTÔMES DIVERS. D'aspect inquiétant, mais inoffensifs. Ce sont les esprits des hommes et des ours morts. On les distingue difficilement les uns des autres. En effet, lorsqu'ils se changent en spectres, les ours perdent leur poil et leur museau s'aplatit ; en conséquence, ils diffèrent peu des spectres humains. Les fantômes des ours sont cependant un peu plus gros. Dans l'histoire, il y aura également le fantôme, très petit, d'une vieille horloge.

LE VIEUX DE LA MONTAGNE. Génie puissant des monts et des glaciers ; de tempérament facilement irascible[1]. Personne d'entre nous ne l'a jamais vu, et personne ne sait exactement où il se trouve ; cependant nous pouvons être sûrs qu'il existe. Par conséquent, autant se le ménager.

UN HIBOU. On entendra sa voix, un instant, dans le chapitre deux. Caché au plus profond des bois, nous ne pourrons le voir, d'autant que le crépuscule sera déjà tombé. Le portrait que vous voyez ci-contre est donc entièrement imaginaire. Le hibou ne fera que chanter une de ses petites cantates[2] mélancoliques. Ce sera tout.

1. Irascible : irritable, qui se met facilement en colère.
2. Cantate : chant pour une ou plusieurs voix avec accompagnement instrumental.

Les décors

Nous verrons d'abord les montagnes majestueuses de la Sicile, lesquelles, cependant, n'existent plus aujourd'hui (tant d'années ont passé !). Entièrement couvertes de neige.

Puis nous descendrons vers la vallée verdoyante, avec ses bourgades, ses rivières, ses forêts pleines d'oiseaux, ses petites maisons disséminées çà et là : un paysage d'une grande beauté.

Mais, aux flancs de la vallée, se dressent encore d'autres monts, moins élevés, moins abrupts que les premiers, néanmoins eux aussi pleins d'embûches : châteaux hantés, par exemple, grottes habitées par des dragons venimeux, d'autres châteaux encore, peuplés d'ogres, etc. Autant dire qu'il vaut toujours mieux rester sur ses gardes, surtout la nuit.

Petit à petit, on approchera ainsi de la fabuleuse capitale de la Sicile, aujourd'hui disparue de la mémoire des hommes (tant d'années ont passé !).

Elle est entourée de murs extrêmement hauts et de citadelles fortifiées. La forteresse principale se nomme château du Cormoran. Et, là, il s'en passera de belles.

Nous entrerons enfin dans la capitale, renommée dans le monde entier pour ses palais de marbre citron, ses tours grimpant jusqu'au ciel, ses églises couvertes d'or, ses jardins toujours fleuris, ses cirques équestres, ses parcs d'attractions, ses théâtres. Le Grand Théâtre Excelsior est le plus beau de tous.

Et les montagnes d'où nous sommes partis ? Les reverrons-nous jamais, nos vieilles montagnes ?

Chapitre un

Et, à présent, bouche bée, écoutons
De la Sicile, par les ours, la fameuse invasion.

Cela se passait il y a bien longtemps,
Les bêtes étaient bonnes, les hommes barbares en ce temps.
La Sicile n'était pas comme elle est à présent,
Elle était alors faite différemment :
De hautes montagnes s'élevaient vers le ciel
Dont les sommets étaient couverts de gel
Et, au milieu des montagnes, des volcans
De la forme des pains de sucre[1] *d'antan.*
L'un, entre autres, particulièrement beau
Avait une fumée semblable à un drapeau.
Comme un possédé, il hurlait toute la nuit
(On peut l'entendre encore hurler ces jours-ci).

Et là, il y avait des repaires profonds
Où vivaient les ours, mangeant des marrons,

1. Pain de sucre : bloc de sucre de forme conique.

Des champignons, des truffes, du genièvre, du thym
Dont ils se nourrissaient jusqu'à plus faim.

Bon. Bien des années auparavant, alors que le roi des ours, Léonce, était allé ramasser des champignons avec son jeune fils Tonin, deux chasseurs avaient enlevé l'enfant. Le père s'étant éloigné un instant le long d'un à-pic[1], ils avaient surpris l'ourson seul et sans défense, l'avaient ligoté comme un vulgaire paquet et fait descendre, le long des précipices, jusqu'au fin fond de la vallée.

Tonin ! Tonin ! appelle-t-il fort.
Pauvre, le temps lui paraît bien long !
Seul l'écho des cavernes répond
Et autour un silence de mort.
Où peut-il être ? se demande-t-il.
L'aurait-on emmené en ville ?

Finalement, le roi retourna dans sa tanière et raconta que son fils était tombé d'un rocher et qu'il était mort. Il n'aurait pas trouvé le courage de dire la vérité. Un ours ordinaire aurait déjà eu honte, mais pensez donc, un roi ! En fin de compte, il se l'était tout bonnement fait voler.

De ce jour, Léonce n'avait plus connu la paix. Combien de fois n'avait-il pas envisagé de des-

1. À-pic : très forte pente.

cendre parmi les hommes, pour y chercher son fils ? Mais comment faire, tout seul ? Un seul ours, au milieu des hommes ? Ils l'auraient tué ou enchaîné, et bonsoir ! Ainsi, les années passaient.

Et voilà que survint un hiver comme on n'en avait jamais connu de semblable. Un froid tel que les ours eux-mêmes claquaient des dents sous leur épaisse fourrure. Une neige qui couvrait jusqu'au dernier brin d'herbe, au point qu'il n'y avait plus rien à manger. Une faim qui faisait pleurer, durant des nuits entières, les oursons les plus jeunes et leurs aînés aux nerfs fragiles. On n'en pouvait plus ! Jusqu'au moment où quelqu'un proposa : « Et si nous descendions dans la plaine ? » On voyait, par les belles matinées, le fond de la vallée, vierge de gel, avec les maisons des hommes, et des fumées qui s'échappaient des cheminées, signe que l'on y préparait quelque chose à manger. On aurait dit que là-bas était le paradis. Et les ours, du haut de leurs talus, restaient des heures à le regarder, en poussant de longs soupirs.

« Descendons dans la plaine. Plutôt se battre avec les hommes que se laisser mourir de faim ici », disaient les plus courageux parmi les ours. Et l'idée, à vrai dire, ne déplaisait pas au roi Léonce ; il pourrait en profiter pour essayer de retrouver son fils. Si son peuple tout entier descendait en force, les dangers seraient moindres. Les hommes y regarderaient à deux fois avant d'affronter pareille armée.

Mais les ours, et le roi Léonce avec eux, ne connaissaient pas les hommes, leur méchanceté, leur malice ; ils ignoraient de quelles armes redoutables ils disposaient, quels pièges ils étaient capables de dresser pour s'emparer des bêtes. Les ours ne savaient pas, les ours n'avaient pas peur. Et ils décidèrent de quitter leurs montagnes et de descendre vers la plaine.

À cette époque, le grand-duc régnait.
Nous y reviendrons souvent :
Grêle comme une araignée,
Laid, méchant et arrogant,
Qui pourrait aimer ce grand-
Duc, cet infâme tyran ?

À présent, il faut que vous sachiez que quelques mois auparavant, le professeur De Ambrosiis, astrologue de cour, avait prophétisé[1] que des montagnes descendrait une armée invincible, que le grand-duc serait battu et le pays tout entier livré à l'ennemi.

Le professeur ne l'avait dit que parce qu'il était sûr de son fait, d'après ses calculs astronomiques. Mais imaginez le grand-duc ! Pris d'une véritable rage, il avait fait chasser l'astrologue du palais, après l'avoir fouetté. Néanmoins, étant supersti-

1. Prophétisé : annoncé.

Poussés par la faim et le froid, les ours descendent vers la plaine et se heurtent aux troupes aguerries du grand-duc, accourues pour les repousser. Mais l'intrépidité de l'ours Babbon met en fuite l'armée grand-ducale.

tieux, il avait tout de même ordonné à ses soldats de gagner les montagnes et de tuer tous les êtres vivants qu'ils pourraient y trouver. Ainsi, pensait-il, il ne resterait personne sur les montagnes, et personne ne pourrait en descendre pour conquérir son royaume.

Les soldats partirent donc, armés jusqu'aux dents, et, sans pitié, ils massacrèrent là-haut tous les êtres vivants qu'ils rencontrèrent : de vieux bûcherons, de petits bergers, des écureuils, des loirs, des marmottes, jusqu'à d'innocents petits oiseaux. Seuls en réchappèrent les ours, cachés au plus profond des cavernes, et le Vieux de la montagne, ce grand vieillard mystérieux, qui ne mourra jamais, et dont personne n'a jamais su exactement où il était.

Mais un messager arriva un soir
Annonçant la présence d'un grand serpent noir.
Ce n'était en fait, descendant des monts,
Qu'une longue colonne d'ours, d'ourses et d'oursons.
« Les ours ? rit le grand-duc. Ah ! ah ! ah !
Nous verrons bien qui vaincra ! »
Bientôt, on entend une fanfare,
C'est l'armée qui se prépare.
En avant, marche ! Canaille !
Demain matin, la bataille !
Vous en observez la fureur

Sur le dessin en couleurs[1].
Les ours attaquent d'en haut, le grand-duc les attend
Et c'est le choc des combattants.
Mais que peuvent les ours, armés de lances, de flèches, de harpons
Contre des fusils, des mousquets, des couleuvrines[2], *des canons ?*
La mitraille crépite, le sang rougit les cimes,
Qui creusera les tombes de tant de victimes ?
Le grand-duc, par prudence, resté un peu en arrière
Observe la scène avec une lunette de verre.
Les courtisans, pour ménager son humeur,
Ont gravé sur la lentille un ours qui meurt
Pour qu'en quelque direction qu'il tourne sa lunette
Il ne voie de partout que des lambeaux de bêtes.
« Son Excellence, qu'a-t-elle remarqué ?
– Un ours qui a perdu un pied.
– Et à présent, Excellence, quelque nouveauté ?
– Deux ours morts, un de chaque côté. »
Alors, le grand-duc, en dictateur classique,
Bombarde ses officiers de distinctions honorifiques
« Magnifique ! s'exclame-t-il. Excellent, très bon ! »
Mais il n'a pas aperçu l'ours Babbon.

Car l'ours Babbon, aux membres gigantesques et au cœur intrépide, accompagné d'une poignée

1. Page 25, en couleurs dans l'édition originale.
2. Mousquet, couleuvrine : un mousquet est une arme à feu portative, ancêtre du fusil. Une couleuvrine est un ancien canon long et fin.

d'ours d'égal courage, vient, au mépris de tout danger, de se hisser au haut d'un précipice vertigineux. Là, il se met à fabriquer d'immenses boules de neige, qu'il précipite comme autant d'avalanches sur les troupes du grand-duc.

Avec un bruit sourd, les blancs projectiles s'abattent sur le plus gros des troupes grand-ducales. Là où elles passent, les terribles masses de neige font place nette.

Le tumulte prend une telle ampleur
Qu'un régiment entier aurait pris peur.
La troupe s'étonne, la terreur gagne :
Ce doit être le Vieux de la montagne !
Cette succession d'avalanches soudaines
Finit par glacer le sang dans les veines.
Sauve-qui-peut ! Rester, bernique[1] *!*
La terreur devient panique.
Et à ce sentiment-là
Il n'y a plus personne pour mettre le holà[2]*.*
On abandonne les morts sur le champ de bataille
Et le grand-duc à ses chamailles[3]*.*
Les ours crient victoire,
C'est un beau jour de gloire.

1. Bernique : interjection exprimant la déception et le refus (familier).
2. Mettre le holà : mettre fin à quelque chose.
3. Chamaille : querelle.

Chapitre deux

Si vous observez très attentivement
Le dessin du combat précédent,
Dans une passe, battue par le blizzard[1],
Vous distinguerez une figure bizarre.
Ce triste personnage est le professeur De Ambrosiis
(Mais il n'y a pas de rime en osiis).

Allons, ressaisis-toi, n'es-tu pas nécromant[2],
Qui transforme, s'il veut, les cailloux en diamants
Les orties en laurier et, par métamorphose,
Les cochons en roses ?

Hélas ! Ce n'est plus aujourd'hui.
Comme au temps de notre mère l'oie[3]
Où une baguette suffit
Pour répandre partout la joie.

1. Blizzard : vent glacial venu du nord.
2. Nécromant : magicien prévoyant l'avenir en communiquant avec les morts.
3. Mère l'oie : cette figure de la conteuse qui animait autrefois les veillées populaires a été rendue célèbre par Charles Perrault dans ses *Histoires ou Contes du temps passé*, connues aussi sous le titre de *Contes de ma mère l'Oie* (1697).

La baguette du professeur
Ne peut servir que deux fois,
Deux fois seulement, après quoi
Elle n'a plus aucune valeur.

Aucun remède ne servirait à rien
Sang de dragon, bec de corbeau bouilli,
Deux fois seulement et c'est fini,
Plus de baguette et plus de magicien.

Mais De Ambrosiis a une obsession :
Il craint beaucoup la maladie
Et ses deux occasions de magie,
Il les réserve pour sa guérison.

Il pourrait être riche, créer
Des monceaux d'or, manger
Mille choses appétissantes
Il s'en moque comme de l'an quarante.

Maintenant que nous en avons tout dit,
Reprenons le cours de notre récit.

Au moment où l'armée du grand-duc était partie combattre les ours, De Ambrosiis s'était demandé s'il ne tenait pas là une bonne occasion de s'attirer à nouveau la faveur du tyran, et de reprendre sa place à la cour. Qu'il consentît à user d'un sortilège, sur les deux dont il disposait, on était débarrassé des ours, et le grand-duc, sur l'heure, lui faisait élever un monument. Aussi était-il allé rôder, discrètement, aux alentours du champ de bataille, prêt à intervenir au moment opportun.

Mais la défaite du grand-duc avait été tellement inattendue, tellement foudroyante, que le magicien lui-même s'était laissé surprendre. Il sortait la baguette de sa poche pour sauver le grand-duc, que les ours dévalaient déjà les pentes en criant victoire, et que le grand-duc avait pris ses jambes à son cou. Et le magicien s'était immobilisé, la baguette en l'air, séduit par une nouvelle idée : « Et pourquoi donc aiderais-je ce butor[1] de grand-duc qui m'a chassé comme un chien ? se mit à penser le professeur. Pourquoi ne deviendrais-je pas plutôt l'ami des ours, qui doivent être de bons gros naïfs ? N'aurais-je pas une chance de me faire nommer ministre ? Avec les ours, il ne sera pas besoin de gaspiller des sortilèges, quelques mots savants et ils resteront la bouche ouverte, comme autant de nigauds. La voilà, l'occasion rêvée ! »

Il rangea alors sa baguette et, le soir, lorsque les ours victorieux se furent installés dans un bois, pour se régaler des vivres que le grand-duc avait abandonnés dans sa fuite, lorsque entre les pins monta la lune, inondant les prairies de sa douce lumière (car au fond de la vallée, il n'y avait plus

1. Butor : personne stupide et grossière.

de neige), lorsque, dans la solitude des campagnes, commença de se faire entendre l'appel mélancolique du hibou, le professeur De Ambrosiis, s'armant de courage, descendit vers les ours, et se présenta au roi Léonce.

Et comme il parle bien, et quelle science s'échappe de ses lèvres ! Il explique qu'il est magicien, nécromant (ce qui, en fait, revient au même), devin, prophète, sorcier. Il dit connaître la magie noire et la magie blanche, savoir lire dans le cours des astres, connaître en somme toutes sortes de choses extraordinaires.

– Parfait, répond le roi Léonce, avec une grande cordialité, je suis enchanté de ta venue. Car c'est toi qui vas me retrouver mon fils.

– Et où est-il, ce fils ? demande le magicien, commençant à soupçonner que les choses pourraient n'être pas aussi simples qu'il se l'était imaginé.

– Belle question ! s'exclama Léonce. Si je le savais, je n'aurais pas besoin de toi !

– Mais alors, tu voudrais que j'use de magie ? balbutie le professeur, éperdu.

– Eh oui, bien sûr ! Où est la difficulté pour un grand savant comme toi ? Je ne te demande pas la lune !

– Majesté ! supplie alors De Ambrosiis, oubliant tous les airs qu'il vient de se donner, Majesté, c'est ma perte que tu veux ! Je ne peux user de magie qu'une seule fois, une seule pour toute mon existence ! (Ce disant, il mentait comme un arracheur de dents.) Tu cherches à me perdre !

Et les voilà partis à discuter, Léonce résolu à se faire dire ce qu'il était advenu de son fils, le magicien décidé à ne pas céder. Les ours, fatigués et rassasiés, s'étaient endormis qu'ils discutaient encore.

La lune atteignit son zénith, commença de décliner ; et tous deux discutaient.

La nuit se consuma, petit à petit, et la discussion se poursuivait.

L'aube surgit que le roi et le magicien étaient encore en train d'argumenter.

Mais comme, dans la vie, les choses arrivent toujours au moment où l'on s'y attend le moins, voilà qu'aux premiers rayons du soleil, d'une hauteur voisine, se leva un gros nuage noir et menaçant, comme une armée en marche.

– Les sangliers ! cria une sentinelle postée à la limite du bois.

– Les sangliers ? fit Léonce, surpris.

– Les sangliers en personne, Majesté ! répondit l'ours-sentinelle, consciencieux comme toutes les braves sentinelles.

C'étaient en effet les sangliers du sire de Molfette, cousin du grand-duc, qui arrivaient à la rescousse. Au lieu de soldats, cet important personnage avait instruit une armée de gros porcs sauvages, non seulement féroces et extrêmement valeureux, mais encore célèbres dans le monde entier. Du haut de la colline (où il se tenait éloigné du risque), le sire de Molfette agitait son fouet. Et les terribles sangliers étaient lancés au galop ! Leurs défenses fendaient l'air en sifflant !

Hélas ! Les ours dormaient encore. Çà et là, dispersés dans le bois, autour des cendres de leurs bivouacs[1], ils s'abandonnaient aux doux rêves du matin, qui sont toujours les plus beaux. Le trompette lui-même dormait, et ne pouvait sonner l'alarme. Dans son clairon, abandonné sur l'herbe, le vent frais de la forêt soufflait doucement, modulant une triste ritournelle[2], un chant léger qui ne pouvait assurément suffire à réveiller les bêtes endormies.

Autour de Léonce, il n'y avait qu'un faible détachement d'ours-fusiliers ; les sentinelles de service, armées des mousquets pris au grand-duc ; personne d'autre.

Les sangliers, têtes basses, se ruaient à l'assaut.

– Que va-t-il se passer ? balbutia le professeur De Ambrosiis.

– Vous le demandez ? répondit le roi Léonce, avec une certaine amertume. Nous sommes isolés. Il ne nous reste plus qu'à mourir. Essayons au moins de mourir décemment ! (Il tira son épée du fourreau.) Nous mourrons en braves !

1. Bivouac : campement provisoire.
2. Ritournelle : chanson où les refrains sont très fréquents.

Les sangliers de guerre du sire de Molfette attaquent les ours par surprise, mais, d'un coup de baguette, l'astrologue De Ambrosiis les change en ballons aérostatiques, que berce doucement la brise. D'où la fameuse légende des sangliers volants de Molfette.

– Et moi ? supplia l'astrologue. Et moi ?

De Ambrosiis, mourir lui aussi ? Dans une série de circonstances aussi bêtes ? Il n'en avait aucune envie. Mais les sangliers n'étaient plus qu'à cent cinquante mètres, lancés comme une avalanche.

Alors le magicien fouilla dans ses poches, en tira la baguette magique, prononça à voix basse d'étranges formules, traça en l'air des signes. Oh ! la magie était aisée, avec une telle frayeur au ventre !

Et voilà qu'un sanglier, le premier, le plus gros de tous, se détache du sol, et se gonfle, se gonfle, jusqu'à devenir un véritable, un authentique ballon : un magnifique ballon aérostatique, qui s'envole vers le ciel. Puis un deuxième, et un troisième, et un quatrième.

À mesure qu'ils arrivaient, les funestes sangliers demeuraient mystérieusement frappés d'enchantement, se gonflaient comme autant de vessies.

Quelle étrange chose que de les voir décoller, entraînés avec les zéphyrs[1] et les petits oiseaux jusqu'au milieu des nuages, doucement bercés par la brise.

Ainsi l'avait voulu le destin. Il avait fallu, une première fois, user de magie, à présent la baguette ne pourrait plus servir qu'une seule fois, un seul coup de baguette, et De Ambrosiis redeviendrait

1. Zéphyr : vent d'ouest doux et agréable.

un homme comme les autres, vieux et laid de surcroît. C'était n'être guère payé de tant d'avarice.

En attendant, les ours étaient sauvés. Voici disparu le dernier sanglier, qui n'était plus qu'un minuscule point noir, au sommet de la voûte céleste.

D'où la légende qui fut autrefois faite
Des sangliers volants de Molfette.

Chapitre trois

Il y avait dans les environs un vieux château, il y en avait même plusieurs en ce temps-là, mais un seul nous intéresse, le château de la Roche-Démon, tout en ruine, affreux et plein de sales bêtes, mais le plus célèbre de tous parce que peuplé de fantômes. Tous les vieux châteaux, comme vous le savez fort bien, abritent un fantôme ou deux, à la rigueur trois. À la Roche-Démon, on n'aurait pas même pu en faire le compte, il y en avait des centaines, sinon des milliers qui, durant le jour, se tenaient cachés; jusque dans les trous de serrure.

Il y a des mamans qui disent : « Je n'arrive pas à comprendre quel plaisir on peut avoir à raconter aux enfants des histoires de fantômes; cela fait peur et après, la nuit, ils se mettent à hurler quand ils entendent un bruit de souris. » Et il se peut que les mamans aient raison. Mais il faut se dire trois choses : d'abord que les fantômes, dans la mesure où il y en a, n'ont jamais fait de mal aux enfants, ils n'ont même jamais fait de mal à qui que ce soit;

ce sont les hommes qui ont décidé d'avoir peur ; les esprits, ou les fantômes, s'ils existent (et au jour d'aujourd'hui, ils ont pratiquement disparu de la surface du globe), sont comme le vent, la pluie, l'ombre des arbres, le chant du coucou le soir, des choses naturelles et innocentes ; ils sont probablement tristes d'être obligés de rester tout seuls dans de vieilles maisons inhabitées et mélancoliques ; et comme ils ne rencontrent presque jamais d'hommes, ils en ont probablement peur, mais si nous leur manifestions un peu plus d'amitié, ils deviendraient très gentils, ou se mettraient volontiers à jouer, à cache-cache, par exemple.

Deuxième chose : la Roche-Démon n'existe plus, la ville du grand-duc n'existe plus, il n'existe plus d'ours en Sicile, et cette histoire est maintenant si vieille qu'il n'y a vraiment pas de quoi se frapper.

Troisièmement : c'est ainsi que les choses se sont passées et nous n'y pouvons rien changer.

Sombre et taciturne le château en question
Se dressait lugubre au sommet d'un piton ;
Et soit ignorance, soit superstition,
Il avait mauvaise réputation.
On disait qu'à dormir derrière ces murailles
On vous trouvait matin sans un souffle qui vaille.
Fantômes, revenants, spectres, esprits, apparitions,
La nuit, par pleins bataillons !

Jusqu'à Martonella, le fameux brigand qui se vantait de ne craindre ni Dieu ni Diable, et qu'on avait trouvé raide mort. La vérité, c'est qu'il ne jouait les tyrans et les bravaches[1] que pour autant qu'il avait ses sbires[2] autour de lui, ou qu'il avait bu. Mais là, dans ce manoir délabré et désert, sans personne pour lui tendre un pichet après l'autre, sans compagnon avec qui plaisanter et se donner du cœur, pour la première fois livré à lui-même, Martonella s'était mis à penser à ses affaires, toutes les canailleries[3] qu'il avait commises lui étaient soudain revenues en mémoire, et il se sentait déjà la proie d'un étrange malaise lorsque par hasard vinrent à passer devant lui les esprits de deux vieux bateliers qu'il avait tués pour les voler. Les deux fantômes ne le regardèrent même pas, ne daignèrent pas même remarquer sa présence, mais la terreur du brigand fut telle qu'il en perdit à tout jamais le souffle. Et, de cet instant, les gens purent à nouveau circuler de nuit dans les rues sans crainte d'être attaqués.

Cela dit, le professeur De Ambrosiis, enragé contre les ours et contre le roi Léonce pour avoir dû gaspiller l'un des deux sortilèges dont il disposait, voulait se venger. Amener les bêtes à la Roche-Démon lui parut une idée magnifique :

1. Bravache : faux brave, fanfaron.
2. Sbire : homme qui accomplit des actes malhonnêtes et violents pour le compte de quelqu'un.
3. Canaillerie : action malhonnête.

simples d'esprit comme ils étaient, les ours, à la vue des fantômes, seraient tombés pour le moins raides morts.

Sitôt dit, sitôt fait, De Ambrosiis conseille au roi Léonce de conduire ses bêtes, cette nuit même, au château : ils y pourraient dormir, manger et s'amuser.

– Moi, pendant ce temps, je cours devant faire les préparatifs.

Et le voilà qui court à la Roche pour mettre les fantômes au courant. En tant que magicien, il entretenait avec les esprits une grande familiarité, savait fort bien qu'ils n'étaient pas dangereux, et les traitait sans trop d'égards.

– Debout ! Debout, amis ! criait le professeur en courant à travers les salons délabrés qu'envahissait déjà le crépuscule. Réveillez-vous ! Voilà des invités qui arrivent !

Et des tentures poudreuses, des armures rouillées, des cheminées fuligineuses[1], des vieux livres, des bouteilles, des tuyaux d'orgue de la chapelle même, sortaient des fantômes, par bandes entières ; d'assez vilaines figures, pour tout dire, assez peu engageantes pour qui n'en aurait pas eu l'habitude. Mais personnellement De Ambrosiis, lui, s'en moquait, il était de la famille.

1. Fuligineuses : noires de suie.

Non content de cela, soufflant de la manière
Dont ordinairement on chasse une poussière,
Dans les moindres recoins, soufflant avec adresse,
Il secoue les esprits de vieille noblesse !
« Debout, comtesse, murmure-t-il, c'est le moment
D'imiter à votre aise les pires miaulements.
Et vous aussi, mes gentils sires,
Faites-moi la grâce de sortir.
Plus vous serez affreux, et mieux cela vaudra :
Le roi Léonce en crèvera. »

Minuit, l'heure fatidique ! De la plus haute tour, l'esprit d'une vieille horloge, complètement défoncée, fit retentir douze « ding ! ding ! » plaintifs, et des nuées de chauves-souris se détachèrent des voûtes branlantes pour s'éparpiller à l'intérieur du château. Au même instant, le roi Léonce, à la tête de son peuple, s'engageait dans les couloirs déserts, s'étonnant de ne trouver ni lumières allumées, ni tables mises, ni orchestres de musiciens (comme De Ambrosiis le lui avait promis).

Il s'agissait bien de musiciens !

D'une grande toile d'araignée qui pendait dans un coin s'élancèrent en direction de Léonce une douzaine de spectres rugissants et grimaçants.

« Les ours, dans leur ingénuité[1], s'était dit De Ambrosiis, ne pouvaient qu'être saisis d'une

1. Ingénuité : innocence et naïveté.

frayeur épouvantable. » Mais il avait mal calculé. Précisément parce qu'ils étaient simples et ingénus, les ours observèrent ces étranges apparitions avec curiosité, sans plus.

– Tiens ! Des draps qui dansent tout seuls ! s'exclama un ourson.

– Et toi, mouchoir de poche, qu'as-tu à tourner de la sorte ? demanda une autre bête à un petit esprit pâle qui tournoyait à la hauteur de son museau.

Mais voilà que, tout à coup, les esprits s'immobilisent à leur tour, cessent de pousser des cris et de s'agiter.

– Mais qui vois-je ! s'exclama l'un d'eux, d'une voix faible, mais empressée, en changeant complètement de ton. Notre bon roi ! Mais comment est-ce possible ? Tu ne me reconnais pas ?

– Eh bien, à la vérité… je ne saurais dire, fait Léonce, interdit.

– Je suis Théophile, dit l'esprit.

Puis, désignant ses compagnons :

– Et voilà Gédéon, Beaufils, Gambille, Grosnez, tes ours fidèles, tu ne les reconnais pas non plus ?

Finalement, le roi les reconnut. Les ours qu'il avait perdus pendant la bataille s'étaient déjà transformés en fantômes. S'étant réfugiés au château, ils s'étaient aussitôt liés d'amitié avec les fantômes des hommes et vivaient en bonne

Le professeur De Ambrosiis attire les ours vers l'horrible Roche-Démon, peuplée de spectres, dans l'espoir de les voir mourir d'épouvante. Pouvait-il imaginer que tout s'achèverait sur des chants et des rires, des valses et des menuets entre les ruines croulantes ?

intelligence. Mais comme ils avaient changé ! Qu'étaient devenus leur bon museau, leurs pattes puissantes, leur somptueuse fourrure ? Ils étaient à présent diaphanes[1], pâles, sans consistance, des voiles évanescents[2].

– Mes braves ! dit Léonce ému, en leur tendant les pattes.

Ils s'embrassèrent ou, du moins, ils essayèrent de s'embrasser, car la chose n'est guère facile entre un ours en chair et en os et un fantôme d'impalpable matière. Cependant, ours d'un côté, fantômes de l'autre, continuaient à arriver. On se reconnaissait de part et d'autre et c'étaient des éclats de rire et des exclamations de joie. Les fantômes des hommes eux-mêmes, passé le premier embarras, accouraient gaiement. Les spectres n'en revenaient pas de trouver enfin une occasion de se distraire un peu. On alluma des lanternes, et on se mit sans plus tarder à danser, aux accents d'un petit orchestre improvisé : un violoncelle, un violon et une flûte, sans compter danseurs et chanteurs.

Et De Ambrosiis ? Où est-il passé ? Il s'est caché dans un coin obscur et, de là, il observe la scène, maudissant les ours et la bêtise des esprits qui n'ont pas réussi à leur faire peur. Mais, pour cette nuit, il n'y a plus rien à faire.

1. Diaphanes : pâles, presque transparents.
2. Évanescents : flous et s'effaçant peu à peu.

Ils dansèrent, chantèrent et s'aimèrent bien, ours et fantômes. Un très vieux spectre, portant la joie à son comble, alla dénicher dans les caves du château, au milieu d'un monceau de squelettes, d'araignées et de rats énormes, une vieille bouteille d'un vin dont le grand-duc lui-même ne possédait pas l'égal. Léonce, en tant que roi, préféra, après avoir participé à la première farandole[1], rester à l'écart avec le fantôme de Théophile, qui avait été un ours prudent et sage. Ensemble, ils discutèrent longuement de la situation, des chances plus ou moins grandes que pouvait avoir Léonce de retrouver son fils.

– Ah ! ton petit Tonin ! dit alors Théophile. J'oubliais de te dire ! Sais-tu que j'ai eu de ses nouvelles ? Sais-tu qu'il est au T…

Il ne put achever le mot. « Ding ! ding ! ding ! » fit l'esprit de la vieille horloge. Trois heures du matin ! L'heure à laquelle les enchantements prennent fin ! D'un seul coup, les fantômes semblèrent se dissoudre dans l'air, comme la vapeur qui s'échappe d'une marmite, se changèrent en une brume légère qui frémit un instant au milieu des salons, dans un bruit de murmures, puis disparut tout à fait.

Léonce en aurait pleuré de rage ! Dire qu'il était sur le point de savoir où était son petit Tonin !

1. Farandole : danse traditionnelle exécutée par une file de danseurs se tenant par la main.

Mais il fallait se résigner. Attendre la nuit suivante n'aurait servi à rien. Car une loi précise que les fantômes n'ont pas le droit de se montrer plus d'une fois par an.

Chapitre quatre

Le petit Tonin, fils du roi Léonce, était donc au « T… ». Que diable cela pouvait-il être ? Qu'avait voulu dire le fantôme du vieux Théophile ? Léonce cherchait à deviner. Mais tant de choses commençaient par T ! Au Turkestan[1] ? Au Tir aux pigeons ? Au Théâtre ? Aux Tropiques ? Au Tribunal ? Au Téléphone ? Oh ! inutile de s'obstiner ! À moins que Théophile n'ait voulu dire que Tonin était au « terme » de quelque chose, de ses malheurs, par exemple, ou de sa vie (mais quelle horrible idée !). Jusqu'à ce que quelqu'un suggérât : « Et si le vieux avait voulu parler du Tramontin, cet autre château, non loin d'ici ? »

Le roi Léonce n'en avait jamais entendu citer le nom, mais quelques-uns de ses ours, parmi ceux qui sont toujours au courant de tout, lui expliquèrent : le Tramontin était un sombre manoir, situé dans le massif Péloritain[2], au fin fond d'une étroite val-

1. Turkestan : région d'Asie centrale.
2. Massif Péloritain : massif montagneux du nord-est de la Sicile.

lée, distante, au plus, de trois ou quatre lieues[1]. Ledit château était habité par un ogre, nommé Troll, qui y vivait seul.

Se pouvait-il que Troll eût fait l'ourson prisonnier ? Le mieux était d'y aller voir. Et le roi Léonce prit la tête d'un bataillon.

L'ogre dormait. Il était vieux, à présent, et passait ses journées au lit, ne se levant que quelques minutes pour les repas. Quant à son approvisionnement en nourriture, il était bien organisé. Il faut dire que, des années auparavant, Troll avait réussi à s'emparer du fameux Croquemitaine, un monstre de la taille d'une de nos maisons. Enfermé à l'intérieur d'une immense cage, au beau milieu de la cour du château, le Croquemitaine devait travailler pour lui.

Qui d'entre vous n'a jamais entendu parler du Croquemitaine ? Il fut un temps où il écumait l'Europe de haut en bas, dévorant hommes et chevaux sur son passage. De temps en temps, le bruit courait : « Voilà le Croquemitaine ! » Alors, les paysans s'enfuyaient dans la montagne, ou s'enfermaient chez eux à triple tour. Mais lui courait comme le vent, et il y en avait toujours qui n'avaient pas le temps de se cacher. Jusqu'au jour où, par hasard, il tomba dans le défilé du Tramontin, où l'ogre se tenait aux aguets, avec un grand

1. Lieue : ancienne mesure de distance équivalant à 4 kilomètres environ.

filet, fait de cheveux de sorcières. Le monstre fut fait prisonnier, et enfermé dans cette grande cage.

Et, depuis, voici comment les choses se passaient.

À l'entrée de la vallée, l'ogre avait placé de faux poteaux indicateurs, sur lesquels on pouvait lire : « Auberge de Cocagne, vivres et couvert gratuits, à vingt minutes d'ici ! » ; ou encore : « Petits enfants ! Distribution de magnifiques jouets ! » ; ou même : « Chasse interdite », ce qui avait pour effet d'attirer immédiatement les chasseurs.

Des passants, des enfants désobéissants qui couraient la campagne au lieu de faire leurs devoirs, des braconniers en quête de gibier, aboutissaient ainsi au Tramontin.

Aussitôt les corneilles de garde se précipitaient dans la chambre de l'ogre, l'éveillaient à coups de bec. Troll ouvrait alors une trappe dans la cage du Croquemitaine, lequel, jetant une patte au-dehors, broyait l'étranger. Puis Troll choisissait avec soin pour son propre usage les morceaux les plus tendres et les plus savoureux, et jetait le reste au monstre.

L'ogre, donc, dormait. Il venait tout juste d'avaler la dernière bouchée d'un appétissant petit garçon du nom de Jojo Maliver, élève de cours moyen, deuxième année, qui ce matin-là avait fait l'école buissonnière.

Mais voilà qu'une corneille traverse précipitamment la fenêtre, vole jusqu'au lit de l'ogre et se met à lui donner des coups de bec sur le nez avec la plus belle énergie.

– Finis donc, sale bête ! grommelle Troll, sans même ouvrir les yeux.

– Des visites, monseigneur, des visites ! croasse la corneille.

– Malédiction ! On ne pourra donc jamais dormir tranquille ! jure l'ogre en bondissant de son lit.

Et qui voit-il s'approcher sur le chemin taillé à pic au flanc de la montagne ? Des promeneurs ? Des enfants ? Des chasseurs ? Des choses bonnes à manger ? Non : De Ambrosiis, qui monte la côte, tout essoufflé !

– Alors, cadavre ambulant ! hurle Troll qui connaît le professeur depuis de nombreuses années. Quel mauvais vent t'amène ?

– Réveille-toi, Troll ! fait le mage, s'avançant sous la fenêtre. Voilà les ours !

– Très bien, très bien ! répond l'ogre. Très bonne viande que celle de l'ours, un peu ferme, peut-être, mais beaucoup de goût ! Et combien sont-ils ? Deux ?

– Deux, non ! ricane le magicien. Ils sont un peu plus !

– Une dizaine, veux-tu dire ? Ma bête aura de quoi se rassasier !

– Ils sont bien plus de dix !

Et De Ambrosiis, chose rare, s'étrangle de rire.

– Tu vas voir la jolie troupe !

– Vas-tu parler, sorcier d'enfer ! hurle l'ogre

d'une voix à faire trembler les montagnes. Combien sont-ils ?

– Un bataillon entier, puisque tu insistes ! Il doit y en avoir deux ou trois cents. Et ils sont en chemin pour te voir !

– Par le diable ! s'exclame Troll, pour le coup impressionné. Comment allons-nous nous y prendre ?

– Libère donc ta bête ! Ouvre-lui sa cage. Elle saura bien s'en arranger !

Libérer le Croquemitaine ? Et s'il en profitait pour tirer ensuite sa révérence[1] ? Néanmoins l'idée était excellente.

De plus, il n'y avait pas de temps à perdre. Là-bas, à l'endroit où la route commençait à gravir les premiers contreforts, on distinguait déjà une longue file de points noirs et mobiles, une file qui paraissait interminable.

Troll descendit dans la cour, et ouvrit la cage.

C'était une magnifique journée. Soufflant un peu, les ours grimpaient avec une belle ardeur. Lorsque, tout à coup, les rayons du soleil s'obscurcirent, comme sous l'effet d'un soudain orage.

Les ours levèrent les yeux.

Dieu du ciel ! Ce n'étaient pas les ténèbres de l'orage, mais l'ombre du Croquemitaine qui, de rocher en rocher, bondissait sur eux.

1. Tirer sa révérence : s'en aller.

Pies, moustiques,
Vampires, hyménoptères[1],
Araignées, carcajous[2],
Sangliers, tiques,
Poussins, panthères,
Grues, sapajous[3],
Tout est aubaine
Pour Croquemitaine !

Les Joseph, les Antoine, les Pierre, les Évariste,
Les plongeurs, les savants, les enfants, les artistes,
Les Charles, les Bernard, les Guy, les Théodule,
Les notaires, les meuniers, les princes, les funambules,
Tout est aubaine
Pour Croquemitaine !

Sang, carnage, tueries,
Cris, tornades, hurlements,
Massacres, hécatombes[4]*, boucheries,*
Ruines, bruits sourds, effondrements,
Autant d'aubaines
Pour Croquemitaine !

1. Hyménoptères : ordre d'insectes (abeilles, guêpes...).
2. Carcajou : mammifère omnivore appelé aussi glouton.
3. Sapajou : petit singe.
4. Hécatombe : massacre d'un grand nombre de personnes.

Au cœur des sinistres monts Péloritains, les ours sont assaillis par le Croquemitaine assoiffé de sang. L'un fuit, l'autre décharge en vain son arme, cet autre se cache, cet autre encore préfère se jeter dans le vide, plutôt que d'aller remplir l'estomac du monstre.

Les ours n'avaient jamais rien vu de semblable. Et l'un d'appeler au secours, et l'autre de s'enfuir. Celui-ci essaie de se faire tout petit en se cachant dans une anfractuosité[1], celui-là décharge vainement son fusil, et cet autre choisit de se jeter dans le vide, plutôt que d'aller remplir l'estomac du monstre.

Seul un ours garde la tête froide ; un ours d'origine modeste, nommé Émeri, que beaucoup avaient jusqu'alors considéré comme un nigaud, peut-être parce qu'il était un peu dur d'oreille. Quand il voit le Croquemitaine faire un carnage parmi ses compagnons, Émeri sort d'un sac une jolie bombe, de celles prises au grand-duc, et, la tenant fermement entre ses pattes, le voilà qui court vers la gueule du monstre.

– Émeri ! Tu es fou, que fais-tu ? lui crie quelqu'un.

Mais il fonce vers la mort.

Le monstre n'a pas même besoin de tendre une griffe, il se trouve Émeri sous la dent et l'engloutit voracement, avec le poil et le reste. L'ours dégringole dans l'estomac du monstre. Et, une fois arrivé, il allume la mèche.

Un éclair aveuglant, un énorme nuage noir, un miaulement à vous glacer le sang. Un instant, on ne comprend plus rien. Puis le vent dissipe la

1. Anfractuosité : creux profond et irrégulier.

fumée, et voilà les ours qui se mettent à danser et à chanter, comme s'ils étaient devenus fous.

Le Croquemitaine, le ventre ouvert, gît au fond du ravin, mort. Et, un peu plus loin, tout meurtri, tout roussi, le brave ours Émeri qui s'est sacrifié pour ses compagnons. L'explosion l'a projeté hors le ventre du monstre, et il est allé tomber, par chance, dans une grande mare qui a amorti sa chute et éteint le feu qui avait pris à son poil. Il se relève seul, il peut encore marcher, bravo !

Mais à présent une voix s'élève, qui appelle « Tonin ! Mon petit Tonin ! Où es-tu ? ». C'est le roi Léonce qui se précipite vers le sombre manoir, dans l'espoir d'y retrouver son fils. Il pénètre dans la cour, erre de salle en salle. Il n'y a pas âme qui vive. L'ogre et le magicien se sont enfuis dans la montagne. D'ourson, point de traces. Partout, le vide et le silence. Hélas ! Tant de mal pour rien, tant de morts inutiles, c'était payer bien cher de trompeuses espérances.

Chapitre cinq

Aux portes de la capitale s'élevait le grand château du Cormoran, la forteresse des forteresses, la plus puissante de toutes les forteresses du temps. La route qui menait à la ville la traversait de part en part. Mais, si les portes étaient fermées, de lourdes portes de fer massif, personne ne pouvait pénétrer. Des armées entières s'y étaient essayées, des mois entiers elles avaient bivouaqué aux portes de la capitale, bombardant sans arrêt les murailles, sans que cela les avançât à rien. Fatigués et déçus, les assiégeants avaient dû se résigner à prendre le chemin du retour.

Donc, le grand-duc était désormais à l'abri derrière la citadelle, tranquille comme un pape. Les ours ? Qu'ils y viennent, il s'en féliciterait ; des montagnes de projectiles attendaient leurs vilaines carcasses ! Et les sentinelles, sur le chemin de ronde à la crête des murailles, allaient et venaient, le mousquet à l'épaule. « Qui vive ? Sentinelle ! » se criaient-elles l'une à l'autre toutes les demi-heures, et les choses continuaient à bien aller.

Mais les ours avançaient sur la route de la vallée, chantant de simples refrains et s'imaginant qu'ils en avaient désormais fini de se battre. Les portes de cette grande ville, pensaient-ils, allaient s'ouvrir pour eux, les gens viendraient à leur rencontre avec des brioches et de grands pots de miel. De si bonnes, de si braves bêtes ! Pourquoi les hommes ne leur donneraient-ils pas aussitôt des preuves d'amitié ?

Et voilà qu'un soir, sur l'horizon, apparaissent, tout illuminées, les tours et les coupoles d'argent de la cité, les palais blancs, les jardins merveilleux. Mais au-devant, à une hauteur prodigieuse, se dressent, comme une falaise abrupte, les murs de la forteresse. D'une tourelle d'angle, une sentinelle les aperçoit. « Qui va là ? » crie-t-elle de toutes ses forces. Et comme les ours continuent à avancer, elle tire. Un petit ours de trois ans est atteint à une jambe et roule dans la poussière. Les chefs, alors, se réunissent pour délibérer.

Courage, ours ! Encore cet obstacle à surmonter et tout sera dit. Derrière ces murs, il y a à boire, à manger, mille occasions de se distraire et il peut même se faire que l'on y retrouve le fils du roi Léonce, l'ourson enlevé par des chasseurs dans la montagne. Demain, l'aube se lèvera pour la bataille, le couchant tombera sur la victoire.

Mais le château a de hautes murailles, dont chacune a l'épaisseur de vingt murailles ordinaires, des centaines de guerriers, armés jusqu'aux dents, sont postés sur les bastions et de chacune des meurtrières[1] jaillit la gueule noire d'un canon.

Qui plus est, le grand-duc, ordinairement d'une extrême avarice, fait distribuer aux soldats pour les encourager des barriques de vin, d'eau-de-vie et d'anisette, chose qui ne s'était jamais vue de mémoire d'homme, pas même à l'occasion des fêtes nationales. Le lendemain matin à six heures, de part et d'autre, les trompettes donnent le signal du combat. Les ours, entonnant leur hymne national, se ruent à l'assaut. Mais comment ? Comment ? Avec des mousquets et des sabres, contre des murailles de pierre, et des portes de fer ? Du haut de la citadelle, les coups de feu crépitent au milieu des flammes, de la fumée, des cris, dans un vacarme infernal. Et quelqu'un, du haut des créneaux, fait basculer d'énormes rochers.

« En avant, mes preux[2] ! » criait le roi Léonce pour inciter ses ours au combat. Mais il pouvait toujours crier. Les autres dominaient de haut. L'un après l'autre, le roi voyait tomber autour de lui ses plus beaux guerriers, poussant leur dernier soupir. Ils tombaient comme des mouches, et Léonce lui-

1. Meurtrière : ouverture étroite et verticale dans un mur de fortification permettant de tirer sur les assaillants.
2. Preux : vaillant chevalier.

même ne voyait pas comment ils allaient pouvoir s'en tirer. Quelques-uns, s'agrippant aux arêtes des murs, tentaient de se hisser aux angles des tours; ils grimpaient l'un dix mètres, l'autre quinze, puis une balle arrivait qui les faisait rouler au sol.

Désastre complet.

Et alors, pourquoi, sur le dessin qui correspond certainement à la réalité, voit-on au contraire les ours parvenir au sommet des tours, et quelques-uns même jusque sur les toits de la forteresse, dominant les troupes grand-ducales ? Pourquoi, sur le dessin, a-t-on l'impression que les ours sont sur le point de l'emporter ? Quelle sorte de plaisanterie est-ce là ?

C'est qu'entre les deux, sept jours ont passé, voilà l'explication, et que les ours, après avoir battu honteusement en retraite à la première tentative, se sont préparés à un nouvel assaut. Un vieil ours, nommé Frangipane, particulièrement versé dans les arts mécaniques, est allé trouver le roi et lui a dit :

– Majesté, ça va mal ! À la première bataille, nous avons pris une pile. À la seconde, ce sera la même chose, Majesté !...

– Je le sais bien, mon cher Frangipane, répondit Léonce. Ça va mal, très mal.

– Nous avons reçu une belle volée, répéta Frangipane, qui ne mâchait pas ses mots, et nous en recevrons une autre, à moins que...

– À moins que quoi ?

– À moins que nous ne trouvions une cinquantaine d'ours qui ne soient pas sujets au vertige. Viens voir, Majesté. J'ai fabriqué quelques petites choses.

Et il emmena le roi voir les choses en question.

Dans un angle écarté, l'ingénieux Frangipane, grâce à des outils ramassés çà et là pendant le voyage, avait mis sur pied un atelier, et fabriqué d'étranges machines. Il y avait un immense mortier[1], dans la bouche duquel aurait pu tenir un veau avec toutes ses cornes, il y avait une gigantesque catapulte, d'immenses échelles, et quantité d'autres inventions diaboliques.

– Avec ces affaires-là, dit Frangipane, après en avoir expliqué l'utilisation, nous arriverons à quelque chose, tu verras !

Et ce fut ce qui arriva. Quand les ours revinrent à l'attaque, le grand-duc ne bougea même pas de ses appartements pour aller les voir, tant il était sûr qu'ils seraient, cette fois, définitivement battus ; au contraire, il changea son uniforme contre un habit blanc brodé de violet et d'argent, pour se rendre, le soir même, au théâtre. Il se contenta d'ordonner une nouvelle distribution d'alcool à ses troupes, pour les encourager.

1. Mortier : canon à tir courbe.

Au matin, cependant, ni vin ni eau-de-vie ne suffirent. Voyez plutôt vous-mêmes :

Un boulet part, vertical
Et dessus, comme sur un cheval,
Un ours à califourchon
Qui jaillit tel un bouchon.
(Idée reprise d'ailleurs, sur une autre scène,
Par le fameux baron de Münchhausen[1].)
Puis regardez le mangonneau[2],
Un vieil ours fronce le museau
(Y aurait-il quelque chose de cassé ?)
Dans la cuillère tout exprès disposée.
De là, à son tour, le voici projeté
Loin, très loin, dans l'immensité.
Ils volent comme des alouettes,
Jusqu'aux flèches des girouettes.
Les échelles ? Ils les escaladent,
En ordre, comme à la parade.
Que l'une d'elles vienne à casser,
Il s'ensuit une fricassée[3].
(Par exemple, à droite, en bas,
Vous voyez un beau galimatias[4] :
Un malheureux guerrier chancelle

1. Baron de Münchhausen : officier allemand ayant réellement vécu au XVIIIe siècle, mais qui est devenu un personnage légendaire. Au nombre de ses exploits imaginaires : un voyage vers la Lune en chevauchant un boulet de canon.
2. Mangonneau : catapulte utilisée au Moyen Âge pour lancer des projectiles contre des fortifications.
3. Fricassée : tas d'hommes et d'objets en morceaux.
4. Galimatias : désordre, confusion.

Ayant à leur tête le roi Léonce, les ours attaquent le château du Cormoran, aux portes de la capitale, et le prennent d'assaut, après trente-deux heures de luttes sanglantes, grâce à d'ingénieux procédés et à des machines conçues par l'ours Frangipane.

Assommé par un morceau d'échelle,
Ce ne sera que l'affaire d'un moment
Il repartira encore plus vaillamment.)
Les assiégés, enfin, sont en posture
De prendre une déconfiture[1]*.*
Cependant qu'au donjon les officiers se consultent,
Vingt-sept arrivent par la catapulte,
Le canon à son tour en lance vingt-trois
Autant sur les échelles adossées aux parois.
Les soldats du grand-duc, dont la plupart ont bu,
Surpris par tant d'engins qu'ils n'avaient jamais vus
Et l'estomac trop chargé d'anisette
Ne se sentent plus dans leur assiette.
Qu'ajouter pour qui m'écoute ?
Rien, c'est la déroute !
« Sauve qui peut ! » Tel s'enfuit, tel, pour aller plus vite
Dans les fossés, se précipite.
Chez les ours, pas de question,
C'est orgueil et satisfaction !

1. Déconfiture : défaite totale.

Chapitre six

Pendant ce temps, au Grand Théâtre Excelsior, mondanités, luxe et élégance triomphaient, le soir même, au cours du gala organisé en l'honneur du grand-duc. Sept jours auparavant, l'assaut des ours avait été repoussé, et il fallait bien une fête pour célébrer un tel événement. La salle étincelait à proprement parler de soies précieuses et d'uniformes somptueux. Il y avait un prince hindou, accompagné de la princesse, il y avait des officiers de toutes armes, en grande tenue, il y avait des comtes, des vicomtes, des marquis et des baronnets ; jusqu'à un landgrave[1], dont nous-même ignorons ce que c'est au juste ; il y avait deux hauts dignitaires de la cour persane, il y avait également, incognito, le professeur De Ambrosiis (mais comment garder l'incognito, avec cette figure qu'on reconnaîtrait entre mille ?) ; il était tout seul dans

1. Landgrave : titre porté par certains princes germaniques au Moyen Âge.

une loge, coiffé de son inséparable tube d'un mètre vingt-cinq de haut.

Le programme, spécialement étudié pour plaire au grand-duc, comprenait :

– *La danse du sycomore*[1],
Avec six ballerines et un Maure.
– *Des pitres, faisant mille tours.*
– *Des avaleurs de sabres, de lames,*
De cartes à jouer, de flammes,
Avec des bouches grandes comme des fours,
– *Des lions et des tigres, mais gentils.*
– *Un corps de ballet, venu de Paris.*
– *Un carrousel de palefrois*[2] *et de phoques.*
– *Des prestidigitateurs et des ventriloques (de ceux qui parlent avec l'estomac).*
– *Puis, gantées et en chapeau claque*[3],
Des puces savantes, chantant et parlant.
– *Huit éléphants, des noirs et des blancs.*
– *Enfin, miracle des miracles,*
Petit, mais le clou du spectacle,
Rien de moins que l'ourson Goliath,
Le plus célèbre des acrobates,
Tant il aurait fallu user de semelles
Pour trouver attraction aussi sensationnelle.

1. Sycomore : arbre, figuier ou érable.
2. Palefroi : cheval de parade utilisé par un chevalier au Moyen Âge.
3. Chapeau claque : chapeau haut de forme repliable.

Coup de théâtre historique sur la scène de l'Excelsior : les ours victorieux font irruption dans la salle, le roi Léonce reconnaît, en l'ourson équilibriste, le fils qu'on lui avait enlevé tout enfant et le grand-duc, pour se venger, décharge son arme sur ce même ourson.

Le bruit avait couru, en début de matinée, que les ours étaient revenus à l'attaque et, à vrai dire, une certaine inquiétude régnait dans le public. Mais l'entrée en grande pompe du grand-duc et de la grande-duchesse dissipa les craintes. Si Leurs Altesses daignaient prendre part au spectacle, cela signifiait que, grâce à Dieu, tout allait bien. Et l'orchestre se mit à jouer, les ballerines à danser, légères comme des libellules, et le ventriloque parvint à sortir de ses viscères, devant un parterre de lourdauds incrédules, convaincus qu'il y avait un truc, parvint à sortir, disais-je, une voix telle que même des sépulcres il ne s'en élève pas de semblable.

De temps en temps, le grand-duc faisait un signe, et un officier se précipitait aux ordres.

– Du nouveau ? demandait le grand-duc.

– Tout va bien, Altesse Sérénissime, répondait l'officier, ne trouvant pas le courage de dire ce qu'il savait, et qui n'était guère réjouissant.

Et l'orchestre continuait à jouer, les ballerines dansaient, le prestidigitateur faisait sortir des lapins vivants d'une citrouille, et le ventriloque parlait avec son ventre de choses et d'autres ; il réussit même à lui faire chanter un petit air, qui fut très applaudi. Le grand-duc, enchanté, souriait ; il s'amusait, lui. Est-ce que tout n'allait pas parfaitement bien ?

Tout allait mal, au contraire : les ours avaient

déjà pris d'assaut la forteresse, et se répandaient maintenant dans les rues de la ville.

Bientôt le désastre devait éclater aux yeux de tous, sur le mode le plus sensationnel, en plein cœur du théâtre lui-même. L'ourson Goliath avait déjà commencé son étonnant numéro de voltige, en équilibre sur une corde, à vingt mètres au-dessus du plateau, en faisant tourner une ombrelle chinoise, lorsque des voix étranges se firent entendre ; une tenture s'écarta et le roi Léonce en personne, suivi d'un bataillon d'ours en armes, apparut au parterre.

– Mon Dieu, les ours ! gémit, d'une loge du deuxième balcon, l'épouse du landgrave, avant de s'affaisser dans un soupir, évanouie.

– Haut les mains ! intimèrent les ours à ce public d'une extrême élégance.

Et tous, glacés de terreur, mirent les mains en l'air (à l'exception cependant des ballerines, dont la frayeur fut telle qu'elles se changèrent en statues et restèrent ainsi, une jambe levée, à la suite de quoi elles furent placées telles quelles sur la façade du théâtre, où on peut encore les admirer, perpétuant à jamais cet événement historique).

Mais que fait Léonce ? Pourquoi, au lieu de se jeter sur le grand-duc, son ennemi mortel, regarde-t-il ainsi fixement l'ourson équilibriste ? Pourquoi tend-il les pattes vers la scène, en chancelant, comme s'il avait bu ?

Sans doute vous tarde-t-il de le savoir,
Car nous arrivons là au plus beau de l'histoire.
Permettez-moi pourtant de poser une question :
Où l'avez-vous déjà vu, cet ourson ?
Vous l'avez rencontré, cela, je vous le jure,
Et tout aussi poignante était l'aventure.
Faites un petit effort, allons, cherchez bien,
Il n'est pas possible que vous ne trouviez rien,
Vous qui êtes plus futés que dix diablotins !
Qui cela peut-il être ? Bien sûr, c'est…

– Tonin ! crie enfin Léonce, d'une voix indescriptible, reconnaissant le fils qu'on lui a volé.

Et l'ourson, lui aussi, reconnaît la voix de son père, bien que tant d'années se soient écoulées. Il est tellement surpris qu'il trébuche, manque de tomber ; mais en bon acrobate qu'il est, il retrouve aussitôt son équilibre, et reprend sa périlleuse promenade, sans même oublier de faire tourner l'ombrelle.

– Papa, papa…, balbutie, suspendu entre les mille lumières du théâtre, le brave ourson, que, pour des raisons de propagande, on avait affublé du nom ridicule de Goliath.

Mais voilà qu'un « pan ! » retentit à l'improviste, et tous sursautent. Le grand-duc, qui a tout compris, sortant son pistolet infaillible, à crosse d'onyx[1] incrustée de pierres précieuses, vient de tirer sur

1. Onyx : pierre fine, variété d'agate.

Tonin, pour se venger. Il aurait pu s'en prendre à Léonce, son adversaire direct. Non ! Sa méchanceté dépasse largement celle qu'on lui prête : il a préféré tuer le fils.

Scandale des scandales ! Passons, pour ne pas perdre de temps, sur le tohu-bohu[1] qui s'ensuit. Ce ne sont que cris, que pleurs, qu'imprécations[2]. Naturellement, du parterre, les ours ont riposté immédiatement, et le grand-duc tombe raide, criblé de balles. Et dans la salle se répand une odeur de poudre que les vieux soldats hument avec satisfaction, mais qui fait tousser dames et demoiselles.

Et Tonin ? Hélas ! Tonin est blessé, et il fait une chute de vingt mètres, la tête la première, pour tomber au milieu des ballerines, déjà pétrifiées l'instant d'auparavant. Il tombe sur la scène et il gît là, inanimé, cependant que son père accourt à son aide.

Près de son fils, Léonce tombe à genoux,
Des larmes roulent le long de ses joues :
« Tonin, mon fils aimé, faut-il donc, si vite,
À peine t'ai-je revu, que déjà tu me quittes ?
Ne te retrouverais-je que pour te dire adieu ? »
Le petit, à ces mots, entrouvre un peu les yeux,

1. Tohu-bohu : agitation, confusion.
2. Imprécation : souhait de malheur prononcé contre quelqu'un.

Et répond : « Mon père, c'est fini,
Au moins, en cet instant, sommes-nous réunis. »
Le roi sanglote comme un bambin :
« Non, ne parle pas ainsi, Tonin,
Tu verras, nos malheurs finiront,
Et les beaux jours reviendront.
Très bientôt, tu seras guéri,
Et il n'y aura plus que des jeux et des ris[1]*… »*

Que des jeux et des ris ? Personne n'ose y croire. Les yeux embués, notables et hauts dignitaires se découvrent en silence. Jusqu'au professeur De Ambrosiis, regardez-le, la barbe lui tremble un peu. L'ourson va-t-il donc mourir ? Se pourrait-il que tous les efforts de son père eussent été vains, qu'un tel malheur vînt empoisonner la victoire ? Le destin peut-il se montrer si cruel ?

Un, deux, trois, quatre
Dans le silence du théâtre
Rôde tout noir
Le désespoir.

1. Ris : rires.

Chapitre sept

L'ourson Tonin gisait dans son sang, le roi Léonce éclatait en sanglots désespérés, le public, devant ce terrible spectacle, demeurait immobile, saisi de pitié et de désarroi ; dans le grand théâtre, habitué à la musique, aux chants, aux applaudissements, se faisait un tragique silence. Alors, d'une petite fenêtre laissée ouverte, entra une blanche colombe qui se mit à voleter gaiement à travers la salle.

C'était la colombe de la bonté et de la paix ; et, comme elle savait un très grand nombre de choses, elle croyait être arrivée à point pour fêter, elle aussi, les retrouvailles. Mais, en regardant autour d'elle, elle s'aperçut bien vite, à l'expression des visages, qu'il se passait, au contraire, quelque chose d'affreux. Et aussitôt après, elle découvrit le roi Léonce, qui serrait dans ses bras son fils blessé.

La colombe demeura interdite. Le moment n'était guère choisi pour papillonner. Le public la regardait avec une antipathie évidente. Alors, s'en aller ? Se cacher dans quelque petit coin obscur ? Une heureuse inspiration la poussa, au contraire, à venir se poser juste au sommet du haut-de-forme du professeur De Ambrosiis, qui assistait, ému, à cette scène bouleversante.

Tous les yeux se tournèrent alors vers le vieil astrologue. Le roi Léonce, lui aussi, regarda De Ambrosiis. Et De Ambrosiis regarda le roi Léonce. Une pensée dominait la salle : seul le magicien, d'un coup de baguette magique, pouvait sauver l'ourson. Pourquoi ne se décidait-il pas ?

Il ne se décidait pas parce que, après l'épisode des sangliers de Molfette, il n'avait plus à sa disposition qu'un seul sortilège. Qu'il vienne à en user, et adieu carrière de magicien ! Il serait redevenu un pauvre vieux quelconque, démuni et laid de surcroît ; et, au cas où il tomberait malade, il devrait appeler un médecin et prendre les potions les plus nauséabondes, au lieu de retrouver, d'un seul coup, œil vif et bonne santé. Pouvait-on exiger de lui pareil sacrifice ? Le roi Léonce lui-même, qui avait pourtant plus d'un compte à régler avec le magicien, en brave cœur qu'il était, n'avait pas le courage de lui demander semblable cadeau, et il se contentait de dévisager De Ambrosiis en silence.

Mais dans le silence, on entendit
Un léger tic-tac, qui ressemblait
Au battement d'un petit

La Sicile ainsi conquise, les valeureux bataillons d'ours défilent sur la grand-place. L'ourson Tonin, sauvé grâce à l'intervention du professeur De Ambrosiis, peut également y assister, mais il est encore un peu faible, ayant perdu beaucoup de sang ; voilà pourquoi il est sur une chaise longue.

Cœur ; la colombe semblait,
Picotant sans aucun respect
Le haut-de-forme à coups de bec,
Vouloir dire au vieux professeur :
« Qu'as-tu donc à la place du cœur ?
Pourquoi perdre si merveilleuse occasion
De rédemption[1] ?
Seul l'égoïsme te retient
De faire le bien ! »

Naturellement, vous n'allez pas vouloir me croire, vous allez me dire que ce sont des histoires, que ces choses-là n'arrivent que dans les livres, etc. Et pourtant, à la vue de l'ourson mourant, brutalement le professeur éprouva une espèce de malaise à l'idée de toutes les méchancetés qu'il avait commises dans sa haine contre les ours et contre le roi Léonce (les fantômes, le Croquemitaine !) ; il eut le sentiment qu'une flamme brûlait dans sa poitrine et, peut-être aussi un peu pour le plaisir de jouer le beau rôle et de devenir une sorte de héros, il sortit de sous sa houppelande la fameuse baguette magique – mais comme cela lui coûtait ! – et se mit en devoir de faire acte de magicien, pour la dernière fois de sa vie. Il aurait pu se procurer des palais, des montagnes d'or, devenir roi et empereur, épouser des princesses hindoues ; il aurait pu

1. Rédemption : action de revenir au bien après avoir commis une faute.

Aux accents d'orchestres choisis se déroule, le soir venu, une fête dansante dans les jardins illuminés de mille lumières ; revenu à de bons sentiments, le professeur De Ambrosiis, que son grand âge empêche de participer aux danses, se contente, réfugié dans un petit coin, d'observer la scène.

tout obtenir avec ce dernier sacrifice. Au lieu de cela :

« Farété, dit-il lentement, en scandant les syllabes,
Farété, finkété, gamorré
Abilé, fabilé, dominé
Brun, stin, maiela, prit
Furu, toro, fifferit ! »

Et l'ourson ouvrit les deux yeux, et se leva tout droit, sans plus trace de blessure (il se sentait seulement un peu faible, ayant perdu beaucoup de sang), cependant que le roi Léonce, comme fou de joie, se mettait à danser tout seul sur la scène. Alors, la colombe, enfin satisfaite, se remit à voleter de-ci, de-là, plus joyeuse que jamais. Un cri jaillit bien haut : « Vive le professeur De Ambrosiis ! »

Mais l'astrologue avait déjà disparu ; il s'était faufilé par la petite porte de la loge, et il rentrait chez lui en courant, serrant sa baguette devenue inutile, et il n'aurait pas su dire lui-même s'il se sentait triste ou au contraire étrangement heureux.

Et maintenant, mesdames et messieurs, l'heure est aux réjouissances. Certains voulaient une grande revue militaire, d'autres un bal de nuit. Après de grandes discussions, on se mit d'accord : le matin, revue militaire, le soir, bal aux lampions. À la revue, l'ourson Tonin, encore un peu faible, assista sur une chaise longue, enveloppé de moelleuses couvertures ; par contre, il put se rendre au bal, et, tenant son père par la main, ouvrir la grande farandole sur un air de polka[1]. Cela après s'être remonté toute la journée à coups de biftecks et de brioches.

Première cérémonie
Sur la place de la mairie
Drapeaux en tête
Défilent les bêtes
Suivies de musiques,
De fanfares et de cliques[2].
Cela durant tout le matin.
Après quoi, on passe au festin.
Sucre, miel, chocolat, amandines, massepains, feuilletés, choux (chantilly ou pâtissière, au choix), puits d'amour[3], beignets, fruits confits, pâte de fleurs d'hélletera[4].
Nougats, tourons[5], biscuits, meringues, et caetera
Et tradéridéra, et tradéri déri
La fête tout l'après-midi.
Alors, dans les buissons,
S'allument les lampions

1. Polka : danse originaire de l'est de l'Europe.
2. Clique : ensemble des clairons et des tambours d'un orchestre militaire.
3. Puits d'amour : pâtisserie traditionnelle française.
4. Hélletera : plante d'espèce tropicale, dont les indigènes sont particulièrement friands. (*Note de l'auteur.*)
5. Touron : confiserie espagnole, nougat.

De chaque tonnelle
Un flot de ritournelles.
(Le magicien, caché,
N'en perd pas une bouchée.)
Et le bal se poursuit
Ainsi toute la nuit.
On regrette seulement, au matin,
Que les meilleures choses aient une fin.

Chapitre huit

La vie, hélas ! n'est qu'un court passage,
On croit avoir le temps, et n'être pas pressé,
Qu'on tourne seulement une page,
Et voilà que treize ans ont passé.

Sans qu'il y paraisse, treize années se sont écoulées depuis notre dernière rencontre. Le roi Léonce règne toujours en maître incontesté sur la Sicile, car personne n'a jamais eu le courage de lui chercher querelle. Les hommes et les ours s'entendent fort bien et les jours s'écoulent paisiblement, la paix règne et semble devoir régner à tout jamais dans les cœurs. Qui plus est, on continue à travailler, à s'instruire et l'on fait des progrès : de nouveaux et splendides palais se dressent nombreux dans la capitale, on construit des machines chaque jour plus compliquées, et de magnifiques carrosses, et d'extraordinaires cerfs-volants bariolés. Le bruit court même que le professeur De Ambrosiis, pourtant désormais aussi vieux que les cloches de la cathédrale, a repris de zéro ses élucubrations et qu'il s'est fabriqué – à cet âge ! – une nouvelle petite baguette magique, moins puissante que celle dont il s'était servi pour les ours, mais néanmoins d'assez bonne qualité ; il espère pouvoir en tirer assez d'influx magique pour obtenir sa guérison au cas où il attraperait une maladie sinon d'extrême gravité, du moins un peu sérieuse.

Et pourtant, regardez le roi dans les yeux, et vous comprendrez qu'il n'est pas heureux. Trop souvent ses regards, à travers les vastes fenêtres de son palais, s'évadent tristement vers les montagnes lointaines qui se dressent plus haut que les plus hautes tours de la ville. N'étaient-ils pas meilleurs – se demande-t-il à part lui – les jours passés là-haut, dans la majestueuse solitude des montagnes ?

On n'avait en ce temps que des baies de genièvre ;
Pour lit, une brassée de feuilles ; et l'eau des sources vives
Avec nos pattes pour gobelet.
Les coupes sont aujourd'hui de travail d'orfèvre,
Les lits ont baldaquin[1], on se nourrit de grives
Et de bison au serpolet[2].
Oh ! comme alors on manquait de bien-être,
Et qu'au contraire on vit bien, à présent !
Dommage pourtant de ne plus être

1. Baldaquin : tenture suspendue au-dessus d'un lit.
2. Serpolet : plante aromatique, thym sauvage.

La baguette magique du professeur De Ambrosiis ayant été volée, le roi Léonce harangue la foule, exhortant le coupable à restituer le précieux objet et menaçant chacun, sinon, de sanctions sévères. Il est très en colère.

Comme avant : avec des bourrasques, du vent,
Un ciel noir, des chemins enneigés,
Mais le cœur léger !

En outre, le roi Léonce se désolait de voir les ours changer à vue d'œil : eux auparavant modestes, simples, patients, braves garçons, étaient devenus orgueilleux, ambitieux, envieux, pleins de caprices. Ils n'avaient pas vécu pour rien treize années au milieu des hommes.

Une chose agaçait particulièrement le roi : au lieu de se contenter, comme autrefois, de leurs belles fourrures, la majorité des ours endossaient à présent des vêtements, des uniformes et des manteaux copiés sur ceux des hommes, s'imaginant être ainsi plus élégants, sans se rendre compte qu'ils se couvraient de ridicule. Quitte à crever de chaleur, on en voyait même se promener avec de grosses pelisses de fourrure, histoire de faire savoir au monde entier qu'ils avaient les moyens !

Et s'il n'y avait eu que cela ! Mais ils se disputaient pour la moindre bêtise, disaient des gros mots, se levaient tard le matin, fumaient le cigare et la pipe, prenaient du ventre, et devenaient plus laids de jour en jour. Toutefois, le roi patientait, il se contentait de les sermonner de temps en temps et, le plus souvent, fermait les yeux. Après tout, rien de tout cela n'était bien grave. Mais combien de temps ces manières-là allaient-elles durer ? Où les ours s'arrêteraient-ils, à ce train ? Le roi Léonce était inquiet, il avait le sentiment obscur qu'il se préparait quelque vilaine affaire.

Et le fait est qu'il se produisit des choses bien étranges.

Premier mystère :

La nouvelle baguette magique
du professeur De Ambrosiis est dérobée.

Le nécromant venait de la terminer, il avait fait toutes les incantations[1] nécessaires et y mettait vraiment la dernière main, lorsqu'elle lui fut volée. Il la chercha de tous côtés : rien. La police fit des recherches : rien. Alors, le magicien alla trouver le roi Léonce pour lui raconter la chose.

Léonce fut bouleversé. Un vol aussi grave ne s'était encore jamais produit sous son règne.

Il convoqua son grand chambellan[2], Salpêtre (ours fort intelligent, qui avait cependant la faiblesse de se croire d'une grande beauté et portait une grande plume sur son chapeau). Ensemble, ils décidèrent de convoquer la population des hommes, auxquels le roi, du balcon du palais, tint un joli petit discours.

– Mesdames et messieurs, dit-il, un esprit malin-

1. Incantation : parole magique.
2. Chambellan : officier chargé du service de la chambre du roi, haut dignitaire de l'administration royale.

tentionné a dérobé au professeur De Ambrosiis, que nous estimons tous, une baguette magique de fabrication récente.

Citoyens ! continua-t-il, c'est une honte ! Que le voleur lève la main !

Mais aucune main ne se leva.

– Parfait ! fit Léonce. Admettons que le coupable ne soit pas parmi vous. Mais laissez-moi vous dire une chose : si, d'ici dix jours, le voleur, d'une manière ou de l'autre, ne se fait pas connaître, je vous considérerai tous comme responsables et vous paierez à l'astrologue un napoléon[1] chacun !

– Houhouhouh ! mugit la foule, épouvantée.

Et il se trouva même quelqu'un pour huer le souverain.

– Ah ! c'est ainsi que vous le prenez ! répliqua Léonce, à qui la moutarde commençait à monter au nez. Eh bien, ce sera deux napoléons chacun ! Tenez-vous-le pour dit !

Là-dessus, il se retira dans ses appartements, cependant qu'hommes et femmes se dispersaient en échangeant les commentaires les plus divers.

Sur ces entrefaites, l'astrologue vint au palais et dit :

– Majesté, tu as convoqué les hommes et je t'en remercie. Mais pourquoi ne t'es-tu pas adressé également aux ours ?

1. Napoléon : pièce d'or représentant le visage de l'empereur Napoléon Ier.

– Aux ours ? Que veux-tu dire ?

– Je veux dire que ma baguette peut avoir été volée par un homme, mais qu'elle peut aussi bien avoir été volée par un ours.

– Par un ours ? s'exclama Léonce, stupéfait.

Depuis quand ses bêtes faisaient-elles des choses de ce genre ?

– Parfaitement, par un ours ! répéta l'astrologue d'un air piqué. Tu crois peut-être tes ours bien meilleurs que les hommes ?

– Bien sûr que je le crois ! Les ours ignorent jusqu'au sens du mot voler !

– Ah ! ah ! ricana le magicien.

– Tu ricanes, professeur ?

– Parfaitement, je ricane ! répondit De Ambrosiis. Si tu y tiens, je peux t'en raconter de belles, moi, sur tes innocentes bestioles !

Petits enfants,
au prochain épisode,
Vous verrez le mystère
du bois des Rhizopodes.

Chapitre neuf

Le deuxième mystère fut en effet :

Le secret du bois des Rhizopodes[1]

– Un soir, raconta précisément le professeur, comme j'étais allé faire quelques pas du côté du bois des Rhizopodes…

– Où habite mon chambellan Salpêtre, interrompit Léonce.

– Cela, je l'ignore, dit le magicien, ce que je sais, c'est qu'en me promenant au milieu des massifs, je lève tout à coup les yeux au-delà de la cime des arbres, et devine un peu ce que je vois ?

– Un oiseau ? suggéra Léonce, dévoré de curiosité, ou un monstre, peut-être ?

– Du tout ! Un palais ! Un palais tout en marbre, illuminé comme pour une fête, et qui resplendissait dans la nuit. Intrigué, je m'approche. Des croi-

1. Rhizopode : organisme vivant microscopique unicellulaire (amibe).

sées s'échappent de la musique et des rires, comme s'il y avait grand bal. Puis, je remarque, à ras de terre, deux autres fenêtres, éclairées elles aussi. Je me penche, et qu'est-ce que je découvre ? Une immense cave, plus grande qu'une église, et contre les murs de gigantesques barriques d'où le vin coule à flots. Et partout des tables sont mises, partout des bouteilles de vin fin, et des musiciens qui jouent, et des serviteurs qui vont et qui viennent, chargés de pâtés monumentaux. Enfin, attablés…

– Qui ? Qui donc ? interrompit à nouveau Léonce.

– Tes ours, Majesté, tes ours ! Ivres morts du premier au dernier et qui s'égosillent à brailler des chansons de corps de garde ! Les uns vêtus de riches manteaux, les autres en costume de ville, celui-ci honteusement vautré dans un coin, celui-là en train de percer une barrique pour boire ensuite à la régalade, cet autre encore roulant sous la table !

– C'est une calomnie[1] ! haleta le roi Léonce.

– Je l'ai vu de mes yeux, je le jure ! protesta le magicien.

– Fort bien. Je vais de ce pas me rendre compte par moi-même. Et si tu as menti, tu me le paieras !

Le roi ne perdit pas de temps. La nuit tombait. Accompagné d'un détachement de gardes, il se

1. Calomnie : accusation mensongère portée contre quelqu'un.

Nouveaux symptômes de corruption chez les ours. Le professeur De Ambrosiis raconte avoir vu, dans les caves d'un palais mystérieux, les bêtes s'abandonner honteusement à de hideuses ripailles. Le récit laisse le roi Léonce perplexe et profondément écœuré.

rendit au bois des Rhizopodes, et vit resplendir, au-dessus de la masse obscure des arbres, les coupoles d'un fabuleux palais, constellé de lumières. Ivre de colère, Léonce résolut alors de prendre les ivrognes en flagrant délit. Mais, au moment où il sortait de l'épaisseur du bois pour déboucher dans la clairière, le merveilleux palais avait disparu. À sa place s'élevait une pauvre masure, dont la petite fenêtre était éclairée. Léonce décida d'entrer pour voir qui s'y trouvait.

Ouvrant brusquement la porte, il découvrit le chambellan, Salpêtre, qui lisait un gros livre à la lueur d'une lampe à huile.

– Que fais-tu ici, Salpêtre, à une heure pareille ?

– J'étudie le grand livre des lois, Majesté ; cette pauvre maison est la mienne.

Mais Léonce humait alentour. Il flottait dans l'air une odeur si bizarre… Étrange, on aurait dit un parfum de fleurs, de mets délicats, de vins fins. Un soupçon se fit jour dans l'esprit du roi.

En attendant, que pouvait-il dire ?

– Bonne nuit, Salpêtre, murmura-t-il. Je me trouvais dans le coin, vois-tu, et l'idée m'est venue de te dire un petit bonjour en passant.

Là-dessus, il sortit, un peu gêné, et revint au palais en méditant l'énigme.

Toute la nuit, il chercha en vain le sommeil. De douloureuses questions se pressaient en tumulte dans son esprit.

Le magicien avait menti ?

Pourtant, Léonce lui-même l'avait vu, ce palais au-dessus des arbres !

Et comment peut disparaître un palais de marbre ?

Et s'il y avait là-dessous de la magie ?

Mais qui peut en user, sinon le professeur ?

Mais ne lui a-t-on pas volé sa baguette magique ?

Qui peut alors faire cet acte de sorcellerie, sinon le voleur ?

Et comment expliquer des odeurs si caractéristiques ?

Salpêtre, complice du vol ? Ou même instigateur ?

L'indignation du roi fut cependant portée à son comble lorsqu'à l'aube on vint lui annoncer le troisième mystère, à savoir :

Le pillage de la Grande Banque universelle

Des bandits armés et masqués avaient, au cours de la nuit, attaqué la banque, tué les gardiens, forcé la porte blindée, volé la totalité du trésor. Il ne restait plus un centime dans les caisses de l'État.

Et les coupables ? Salpêtre, en un brillant discours, fit entendre qu'il ne pouvait s'agir de délinquants ordinaires, mais d'une bande organisée, ayant à sa tête un homme rusé, un véritable savant, fort versé dans les arts mécaniques. Autrement dit, une seule personne, d'après le chambellan, pouvait avoir monté un coup pareil. Et cette personne, c'était De Ambrosiis.

Léonce eut alors le sentiment que le voile se déchirait : mais bien sûr, comment ne l'avait-il pas compris plus tôt ? Comment ne s'en était-il pas aperçu lui-même ? À présent, tout s'expliquait : De Ambrosiis était jaloux des ours pour lesquels il avait dû gaspiller ses pouvoirs magiques ; De Ambrosiis avait simulé le vol de la baguette magique de crainte que le roi ne lui demande encore un service, et pour jeter également le discrédit sur les ours ; De Ambrosiis, toujours pour calomnier les ours, avait mis en scène la fable du banquet nocturne dans la cave (et si lui, Léonce, avait cru un instant découvrir le palais, ce n'avait été qu'un phénomène d'autosuggestion) ; De Ambrosiis enfin, assoiffé de puissance et d'or, avait organisé le pillage de la banque !

De Ambrosiis fut arrêté une demi-heure plus tard, sur ordre exprès du roi, bien qu'il protestât comme un beau diable. On le chargea de chaînes et on l'enferma dans la cellule la plus profonde et la plus ténébreuse de la prison.

Mais voyons un peu ce que fabrique au siège de la banque, au milieu des allées et venues des policiers chargés de l'enquête, un certain ours Jasmin, que l'on voit plus souvent déambuler dans les rues

Qui, durant la nuit, a attaqué la Grande Banque universelle, et volé le trésor ? Le chambellan Salpêtre insinue que ce sont les hommes qui ont fait le coup, à l'instigation du magicien. Mais il pourrait se faire qu'il en eût été tout autrement.

de la ville avec un air béat, au point que certains le tiennent pour légèrement cinglé.

– Sors de là ! Allez, ouste ! lui crient les gardiens.

Mais lui s'obstine. Il rit d'un petit rire idiot, comme s'il n'avait pas compris, et continue à lorgner partout, particulièrement là où les traces laissées par les voleurs sont les plus évidentes : auprès de la porte blindée de la chambre forte, qui gît au sol, arrachée de ses gonds.

« Alors, ce serait De Ambrosiis ? » se demande Jasmin, incrédule, et il se baisse pour ramasser par terre cinq ou six poils qui ont échappé aux regards de la police officielle. Il les renifle, il les regarde à contre-jour.

– Minute, farfouilleur ! lui hurle un gardien. Qu'est-ce que tu viens de ramasser par terre ?

– Rien, ce sont des poils.

– Des poils ? Fais voir ça tout de suite !

Et à peine les a-t-il vus que le policier se met à crier comme un putois :

– Les poils de la barbe du magicien ! Les poils du magicien ! Commissaire ! Commissaire ! Cette fois, nous tenons une preuve décisive !

Mais Jasmin continue à rire de son air béat. Il s'agit bien de barbe et de magicien ! Ces poils-là, il les a tout de suite reconnus, lui : des poils d'ours, il en mettrait sa tête à couper.

Hélas, ce sont donc les ours qui ont fait le coup ! Et De Ambrosiis est innocent. Il faut mettre le roi

Léonce au courant, mais comment ? Lui apporter des preuves, mais lesquelles ? Et comment sauver De Ambrosiis du gibet[1] ? Ce n'est pas d'hier que Jasmin ouvre l'œil. Sans même compter l'histoire de la banque, il en sait, lui, des choses, que Léonce ne pourrait pas même imaginer. Désormais il n'y a plus de temps à perdre. Il faut que le roi soit averti, quelque chagrin que cela puisse lui causer. Et Jasmin décide de lui écrire une lettre.

1. Gibet : instrument de supplice pour les condamnés à la pendaison.

Chapitre dix

Ainsi, au courrier du lendemain, le roi Léonce reçut le billet suivant, que nous reproduisons textuellement, avec toutes ses fautes d'orthographe (car Jasmin avait toujours été assez cancre à l'école).

Mon bon roi, tu réchoffes une vipaire,
Qui t'a fait commettre une erreur judiciaire
Un inocent est sous les verroux,
À la grande joie du filou.
Toi : Parle, s'il ne s'agi de faux bruis !
Moi : Je ne tien pas à avoir des ennuis !
Néanmoins, un de ces soirs,
Fais donc un tour au 5, rue de la Tombe-Issoire
N'oubli pas de te mettre en jac-
Quette de soirée, ou en frac[1].
Avant le lendemain,
Tu remerciera JASMIN

1. Frac : habit noir de soirée ou de cérémonie.

Qu'est-ce que c'était que cette nouvelle diablerie ? Un nouveau mystère ? Comme s'il n'y en avait pas suffisamment comme ça ! Le roi ne savait plus à quel saint se vouer. Cependant, ayant toujours éprouvé de la sympathie pour Jasmin, il résolut de suivre ses conseils.

Lorsque la nuit fut venue, ayant revêtu pour la première fois de sa vie un habit de soirée (car il détestait les vêtements, de quelque nature qu'ils fussent), il se rendit tout seul à l'adresse indiquée. Les rues étaient entièrement désertes.

Au 5, rue de la Tombe-Issoire se trouvait un élégant hôtel particulier. Le roi frappa, la porte s'ouvrit, un majordome[1] galonné lui fit gravir un petit escalier, au sommet duquel s'ouvrait, ô merveille, une grande salle. Où Léonce, muet de stupeur, vit une dizaine d'ours extrêmement élégants – certains même portant monocle – se livrant à des jeux de hasard. Des phrases confuses s'entrecroisaient : « Joli coup ! Capot[2] ! criait l'un, dix mille, vingt mille pour moi ! » Et un autre : « À sec ! Malédiction, je suis ruiné ! Canailles ! » Au gré capricieux de la chance, de petits tas d'or changeaient de mains, avec une extraordinaire rapidité. Ici ou là s'élevaient des querelles. Quelle dépravation, quelle honte ! Mais son sang se glaça dans ses

1. Majordome : principal domestique d'une riche maison.
2. Capot : au jeu de cartes, on est capot quand on ne fait aucune levée (on ne ramasse aucune carte).

Le roi Léonce, sur les indications de Jasmin, l'ours détective, visite un hôtel particulier, rue de la Tombe-Issoire, et y découvre un tripot, autrement dit une maison de jeu. Ce n'est pas tout. Il surprend son fils Tonin, gaspillant à ce vice ruineux tout ce qu'il possède.

veines lorsque ses regards se portèrent vers le fond de la salle. Savez-vous qui se trouvait là ? Tonin, son fils Tonin ; en train de gaspiller son salaire de jeune prince, et qui en était déjà à jouer ses dernières pièces de monnaie. Assis à sa table se trouvaient trois ours d'assez mauvaise mine, à l'expression patibulaire[1]. L'un d'eux disait : « Pressons, jeune homme, tu me dois encore cinq cents sequins[2] ! » Et son ton était si menaçant que Tonin, épouvanté, n'ayant plus un sou vaillant, arracha de son cou le précieux pendentif en or que son père lui avait donné pour son anniversaire, et le jeta sur le tapis vert.

« Malheureux ! » hurla alors le roi, encore sur le seuil. Puis il se précipita à travers la salle, empoigna son fils au collet, sans s'inquiéter des protestations des joueurs qui ne l'avaient pas reconnu, le traîna jusqu'à la sortie et, de là, sans prononcer un mot, jusqu'au palais. Tonin, mortifié, sanglotait.

Des mesures énergiques s'imposaient. Le matin même, l'ignoble tripot[3] fut occupé par la police, qui n'y trouva que le petit personnel ; personne ne savait qui était le patron. La maison de jeu avait trois étages.

Au rez-de-chaussée : salle de roulette, bar et vestiaire.

1. Patibulaire : louche, qui n'inspire pas confiance.
2. Sequin : ancienne monnaie d'or.
3. Tripot : maison de jeu mal fréquentée.

Au premier étage : grand salon pour les jeux de cartes, plus un réduit dans lequel le mystérieux tenancier du tripot entassait ses gains.

Au deuxième étage : cuisine et salle de banquet.

Au troisième et dernier étage : office, dortoir pour le personnel, où était installé un jeu de quilles, et une petite chambre punitive, dans laquelle les joueurs surpris à tricher étaient d'abord fessés à coups de tapette à habits, puis contraints d'apprendre par cœur des poésies éducatives, comme « La Cigale et la Fourmi ». (Cela parce que la direction voulait, avec une grande hypocrisie, donner à entendre que la maison n'était fréquentée que par des ours bien élevés.)

Toute cette histoire bouleversa le roi Léonce. Donc l'arrestation du magicien n'avait pas suffi à extirper[1] tout le mal. À qui pouvait appartenir cette maison de jeu ? Et pourquoi Jasmin n'avait-il pas eu le courage de s'expliquer plus clairement ? Plus le roi y pensait, et plus ses idées s'embrouillaient. Néanmoins, il en arrivait toujours à la même conclusion : quelqu'un, qui n'était pas le professeur De Ambrosiis, semait crime et corruption[2] chez les ours. Ce devait être une personne riche, influente et extrêmement rusée, qui agissait dans l'ombre, attentive à ne pas se laisser sur-

1. Extirper : faire sortir.
2. Corruption : dégradation des comportements.

prendre. Qu'on tarde à la démasquer, et adieu paix et tranquillité !

Alors, le roi Léonce, pour prendre conseil et tâter le terrain, organisa une assemblée générale. Hommes et ours, délaissant loisirs et affaires, se réunirent sur la place. Où s'échangea le dialogue suivant :

Le roi, d'une voix tragique :
– Qui a volé la baguette magique ?
Les hommes, en chœur :
– Pas nous, pas nous.
Les ours, idem :
– Ni nous, ni nous.
Le roi :
– Salpêtre, tu ne soupçonnes vraiment personne ?
Salpêtre :
– Il semble que nous ayons, Majesté, des questions plus urgentes à traiter.
Le roi :
– Eh bien, est-ce que tu estimes
qu'on a pillé la banque jusqu'au dernier centime
sans recourir à quelque diablerie ?
Salpêtre (il sourit) :
– Par pitié, Majesté, quitte cet air morose !
Regarde plutôt ce que je te propose...
Le roi :
– Non, non, il faut en finir !
Ce tripot, à qui peut-il appartenir ?

Pour apaiser le chagrin de son roi, le chambellan Salpêtre fait édifier un gigantesque monument en son honneur. Mais la joie est de courte durée. En bas, à droite, apparaît en courant un groupe de pêcheurs épouvantés, qui doivent être porteurs d'une mauvaise nouvelle.

Les hommes, d'une seule voix :
– Que t'obstines-tu, Majesté,
tu ne pourras que le regretter !
Salpêtre (montrant un dessin au roi) :
– Examine plutôt ce projet de monument,
je crois que tu seras content !

C'était le dessin d'une immense statue qui le représentait justement, lui, le roi Léonce. Et comme les ours, eux aussi, sont pétris de chair et de vanité, voilà que toutes les préoccupations du roi s'évanouissent d'un seul coup.

– Oh, mon bon Salpêtre ! s'écrie-t-il, ému. Je ne mesure qu'à présent l'étendue de ton affection ! Dire, qu'un instant, j'avais douté de toi !

Et, sur-le-champ, il oublie tout le reste.

Cette fois – bien que nous répugnions à l'admettre – il faut reconnaître que le roi Léonce manifesta une bien grande naïveté. La pensée de ce monument lui fit perdre littéralement la tête. Les autres préoccupations disparurent comme par enchantement. Eh bien quoi, De Ambrosiis ? Quels crimes ? Quel tripot ? Léonce expédia aussitôt un bataillon d'ours dans la montagne, pour chercher le marbre nécessaire, engagea des ingénieurs, des maçons et des tailleurs de pierre, et donna ordre de commencer les travaux.

Pierre à pierre, l'immense statue commença bientôt à s'élever, au sommet d'une colline qui surplombait la ville ; elle serait visible à des dizaines de kilomètres de distance. Des centaines d'ours travaillaient jour et nuit, et, de temps en temps, le roi visitait le chantier, son chambellan lui fournissant alors toutes les explications qu'il pouvait souhaiter. Bien vite, pierre après pierre, on arriva à la tête. Le museau de l'ours gigantesque commençait à se profiler contre l'azur du ciel. À bord de ballons captifs et de petits dirigeables, les ingénieurs volaient au-dessus de la ville, pour juger de l'effet.

« Mais pourquoi a-t-on fait ce museau si long ? pensait Léonce. Je n'ai jamais eu le museau si long. On dirait plutôt celui de Salpêtre, vu de loin. »

Cependant, il n'osait pas le dire tout haut, ne voulant froisser personne. Et la statue, déjà, dominait majestueusement la ville, le golfe, et la haute mer ; l'inauguration pourrait bientôt avoir lieu.

Mais comme il est écrit que dans la vie on ne peut jamais être tranquille, voilà qu'un petit groupe de pêcheurs arrive sur la place, en proie à une vive terreur.

– Au secours ! Au secours ! crient-ils, c'est la fin !

Un immense serpent de mer vient d'arriver, racontent-ils, et, sortant des flots son cou démesuré pour atteindre la rive, il a déjà englouti trois maisons et une petite église, curé et sacristain compris.

Chapitre onze

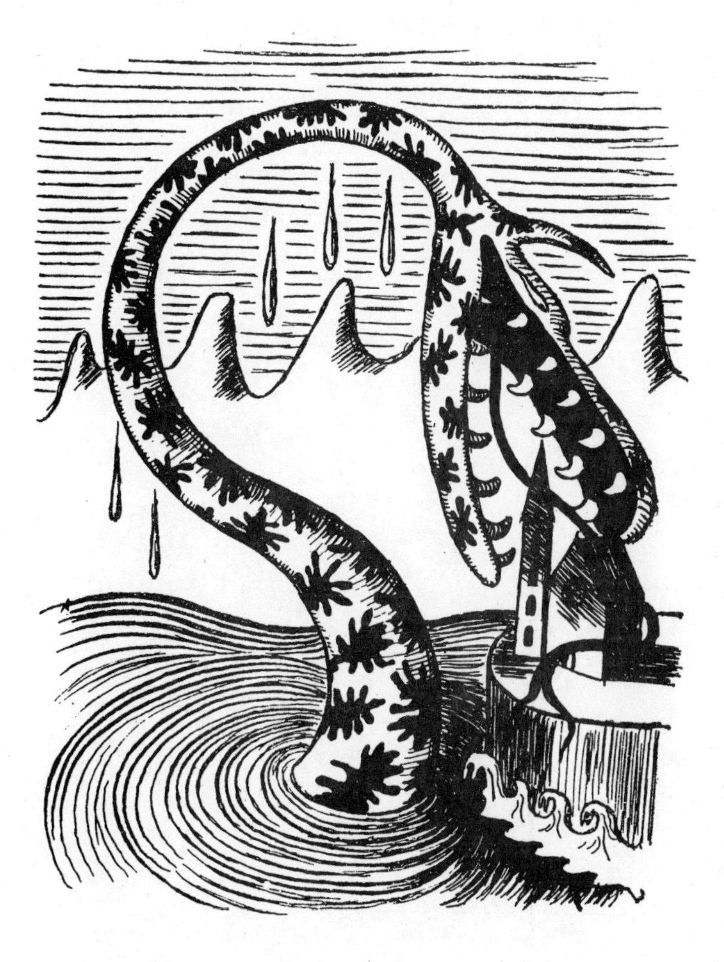

Les hommes :

Grand serpent, qui sors de l'onde[1],
Émergeant d'un autre monde
Viens-tu nous apporter des fleurs
Ou des pleurs ?

Le serpent :

Oh ! non ! ma voix n'apporte
Rien de cette sorte,
Mais l'écho du mystère profond
Des grands fonds.

Les hommes :

Du vertige des abysses[2]
Nous sauve le sacrifice
De Jésus qui meurt chaque jour
Par amour.

1. Onde : eau de la mer, d'un lac ou d'une rivière.
2. Abysse : grand fond océanique.

Le serpent :

Jamais vous ne connaîtrez
Le salut ! De l'enfer, vous prendrez
Par ma morsure et mon venin
Le chemin !

Les hommes :

La peste et les flammes
Dévorent nos jardins,
Sauvez vite, ô femmes,
Vos bambins !

Alors, les mamans se sauvèrent en courant des maisons, emportant leurs enfants dans leurs bras, et les hommes eux aussi prirent la fuite, et les chiens, et les petits oiseaux capables de voler. Mais, pour sauver la ville, le roi Léonce, accompagné des plus braves parmi ses ours, descendit vers la mer, et s'embarqua sur une chaloupe pour aller combattre le monstre. Léonce était armé d'un puissant harpon, les autres de mousquets et d'arquebuses[1]. Salpêtre était là, lui aussi, avec un grand fusil : il avait insisté pour venir, bien que le roi lui eût dit qu'il pouvait rester chez lui.

Une foule immense s'était massée sur la côte pour suivre, haletante, le petit bateau qui, déjà, sous l'effort vigoureux des rameurs, s'éloignait de

1. Arquebuse : ancienne arme à feu portative.

À bord d'un petit bateau, le roi Léonce se lance contre le terrible serpent de mer qui menace la ville. Mais la perfidie de Salpêtre – vous allez voir ! – va faire passer le peuple de la joie délirante à la tragédie et au deuil.

la côte pour se rapprocher du terrible monstre, dont la tête, à intervalles réguliers, sortait des flots bouillonnants d'écume.

Léonce, debout tout à l'avant de la proue, levait son harpon, prêt à frapper le premier coup.

Tout à coup se déroula et jaillit de l'onde un cou aussi énorme que le tronc d'un chêne, surmonté de la tête la plus effrayante qu'on puisse imaginer. Ouvrant une gueule béante comme l'entrée d'une caverne, le serpent se jeta sur la fragile embarcation. Alors, Léonce lança le harpon.

En sifflant, la flèche partit comme l'éclair et s'enfonça de trente pouces[1] dans la gorge du monstre. Puis une détonation retentit, assourdissante : les compagnons du roi avaient tous ensemble déchargé leurs armes, pour le coup de grâce.

Un instant, la chaloupe demeura noyée dans un épais nuage de fumée, après la salve[2]. Puis, tandis que le serpent de mer s'abîmait dans les flots, au milieu d'un bouillonnement de sang, et qu'un immense cri de joie retentissait d'une rive à l'autre, le vent dissipa la fumée ; et l'on put voir.

L'on put voir, sur la proue du petit bâtiment, le roi Léonce, gisant les bras en croix ; le sang ruisselait de son dos. Au même instant, l'un des rameurs, quittant son banc, bondissait, brandissant

1. Pouce : ancienne mesure de longueur équivalant à 2,5 centimètres environ.
2. Salve : tir simultané de plusieurs armes à feu.

une hache, se jetait sur le chambellan Salpêtre et, d'un seul coup, lui tranchait la tête. C'était l'ours Jasmin.

Tragédie !

S'étant embarqué précisément pour surveiller Salpêtre, le brave ours détective avait tout vu : profitant de la salve générale, le chambellan avait tiré non point contre le monstre, mais contre son roi. Hélas ! il y avait déjà un certain temps que le timide Jasmin soupçonnait la vérité, mais il n'avait pas eu le courage de dévoiler au souverain tout ce qu'il croyait avoir deviné : que la baguette magique avait été volée par Salpêtre, que c'était à Salpêtre que l'on devait les banquets dans la cave du palais enchanté ; Salpêtre encore avait dévalisé la banque, monté ce tripot, Salpêtre complotait pour se débarrasser de Léonce et lui arracher sa couronne ; le monument, même, c'était à Salpêtre qu'il était destiné, et non pas au roi qui n'avait jamais eu, lui, le museau aussi long. Mais Jasmin, espérant toujours que le chambellan finirait par se trahir, n'avait renseigné Léonce que pour l'affaire du tripot. Et, désormais, il était trop tard.

Ayant à son bord le roi mortellement blessé, le petit bateau regagna rapidement la rive dans le silence le plus total : la foule, pétrifiée de douleur, ne trouvait pas même la force de pleurer.

On débarqua Léonce sur la plage, puis on le

transporta au palais ; les médecins se précipitèrent à son chevet, mais n'osèrent pas se prononcer. Seul, l'un d'entre eux secoua lentement la tête, laissant entendre qu'il n'y avait plus d'espoir.

Chapitre douze

Et nous voici arrivés au soir où le roi Léonce, sentant sa fin approcher, fit appeler son fils et ses plus fidèles compagnons. De son corps percé par la balle, la vie s'échappait peu à peu.

Pour ne pas ajouter à son chagrin, personne n'avait eu le courage de lui dire que la baguette magique, ainsi que l'or soustrait à la banque, avaient été retrouvés dans le palais même de Salpêtre, qu'effectivement ce palais magnifique existait bel et bien, et que le fameux soir, le chambellan, s'étant aperçu que le roi approchait, l'avait fait momentanément disparaître d'un coup de cette baguette qu'il avait dérobée.

Par contre, le souverain fut très content de voir apparaître dans sa chambre le professeur De Ambrosiis, qu'il avait aussitôt fait remettre en liberté.

– Ne nous laisse pas, papa, implorait son fils Tonin, que deviendrons-nous, sans toi ? C'est grâce à toi que nous sommes descendus de nos montagnes, c'est toi qui nous as libérés de nos ennemis et du serpent de mer. Qui, à présent, gouvernera notre peuple ?

– Ne te tourmente pas, mon petit Tonin, murmura le roi, personne n'est indispensable en ce bas monde. Moi parti, il se trouvera bien quelque autre honnête homme capable de maintenir la couronne. Mais, pour votre salut, mes frères, il y a une chose que vous devez me promettre.

– Parle, ô roi, dirent-ils tous, en tombant à genoux. Nous t'écoutons.

– Retournez dans vos montagnes, dit lentement Léonce. Quittez cette ville, où vous n'avez trouvé que la richesse, et non point la paix de l'âme. Quittez ces vêtements ridicules. Jetez l'or au loin. Jetez les canons, les fusils et toutes les autres diableries que vous avez apprises des hommes. Redevenez ce que vous étiez auparavant. Que l'on vivait heureux dans ces grottes solitaires, ouvertes à tous les vents, tellement plus heureux que dans ces palais mélancoliques, remplis de cafards et de poussière ! Les champignons des forêts et le miel sauvage vous paraîtront à nouveau les plus exquis des mets. Oh ! retournez boire l'eau pure des sources, au lieu de ce vin qui vous ruine la santé. Ce sera dur de se détacher de tant de belles choses, je le sais, mais, après, vous vous sentirez mieux, et vous deviendrez même plus beaux. Nous avons engraissé, mes amis, il faut le dire, nous avons pris du ventre.

– Oh ! pardonne-nous, bon roi, dirent-ils tous, nous t'obéirons, tu verras.

Le roi Léonce se redressa alors sur ses oreillers, pour respirer l'air parfumé du soir. La nuit tombait. Et, des fenêtres grandes ouvertes, on voyait la cité qui resplendissait de mille feux aux derniers rayons du soleil, les jardins fleuris et, au fond, une traînée de mer céleste, qui paraissait de rêve.

Un grand silence se fit. Et, tout à coup, les petits oiseaux se mirent à chanter. Ils entraient par la fenêtre, tenant chacun dans leur bec une petite fleur, qu'en voletant gracieusement ils venaient déposer sur le lit de l'ours mourant.

– Adieu, mon petit Tonin, murmura encore le roi, cette fois, il faut vraiment que je parte. Si cela ne doit pas vous donner trop de mal, j'aimerais que vous me transportiez moi aussi jusqu'à nos montagnes. Adieu à toi aussi, De Ambrosiis, un petit coup de ta baguette magique ne serait peut-être pas inutile pour aider mes braves bêtes à s'assagir !

Il ferma les yeux. Il lui sembla alors que des ombres familières, les esprits d'ours anciens, de ses ancêtres, de son père, de ses compagnons tués au combat, s'approchaient de lui pour l'accompagner au lointain paradis des ours, où règne un éternel printemps. Et il acheva sa vie sur un sourire.

Et, le jour suivant, les ours partirent.

Devant les hommes stupéfaits (et même un peu chagrins, car, dans l'ensemble, ils s'étaient pris d'amitié pour ces bêtes), ils abandonnèrent maisons et palais tels quels, sans emporter même une épingle, ils entassèrent sur une place les armes, les vêtements, les décorations, les panaches[1], les uniformes, etc., et ils y mirent le feu. Ils distribuèrent aux pauvres tout leur argent, jusqu'au dernier centime. Puis, en silence, ils se formèrent en colonne pour reprendre la route que, treize années auparavant, ils avaient descendue de victoire en victoire.

On dit que la foule des hommes, entassée au sommet des murailles, se répandit en sanglots et en lamentations lorsque le corps du roi Léonce, supporté par quatre ours d'une force herculéenne, sortit par la porte principale, au milieu d'une forêt de torches et de drapeaux (et peut-être, vous aussi, aurez-vous un peu de peine de le voir partir pour toujours !).

Les enfants :

Le soir tombe, on n'y voit plus goutte,
Les méchantes fées, sur la route,
Vont vous suivre jusqu'à l'aurore :
Gentils oursons, ne partez pas encore !
Ou, du moins, attendez un peu,
Nous connaissons un nouveau jeu
Magnifique ! On ne vous embêtera
Plus jamais ! Même, on vous donnera

1. Panache : assemblage de plumes pour décorer les casques et les chapeaux militaires.

Obéissant aux dernières volontés de leur valeureux et malheureux souverain, les ours abandonnent richesses, élégances et crapules pour retourner dans leurs vieilles montagnes. Leur cortège interminable s'éloigne. Nous ne les verrons jamais plus. Adieu, adieu !

Les bonbons que papa nous rapporte d'Espagne.
Et nous irons ensemble, dans la campagne,
Jouer aux Indiens, faire les diables,
Bâtir de grands volcans de sable,
Des trains, des navires, des châteaux,
Des cerfs-volants, des toupies, des bateaux.
Et le soir, à nouveau, nous chanterons.
Oh! comme nous nous amuserons!

Les oursons :
Petits enfants, par pitié,
N'ajoutez pas à notre tristesse!
Nous sommes déjà si ennuyés
De partir sans laisser d'adresse.
Nous aussi, nous aurions bien voulu
Jusqu'à l'heure où le soleil décline
Rester jouer parmi les aubépines
Que nous ne verrons jamais plus.
Hélas, c'est impossible! Notre Dieu
Nous attend là-haut. Les rêves
Ont une fin et notre histoire s'achève,
Il ne nous reste plus qu'à dire : adieu, adieu!

Et, le long de la blanche route qui se perdait en direction des montagnes, une longue caravane s'éloignait déjà; bientôt le dernier peloton quitta à son tour la cité, se retournant pour un ultime salut.

Peu à peu, l'interminable cortège devenait plus

petit, et plus mince ; vers le coucher du soleil, on ne distinguait plus qu'une étroite ligne noire sur l'échine d'un col éloigné (mais beaucoup plus loin encore, à une distance incalculable, resplendissaient les hautes cimes, dans leurs solitudes glacées). Puis l'on ne vit plus rien.

Où fut enterré le roi Léonce ? Dans quel bois de sapins, dans quel vert pâturage, au cœur de quel rocher ? Personne ne l'a jamais su, et personne, probablement, ne le saura jamais. Et que firent ensuite les ours, dans leur antique royaume ? Autant de secrets que les montagnes conservent à jamais.

Pour rappeler la présence des ours parmi nous, il ne reste que le monument inachevé, avec sa tête à demi terminée, qui domine les toits de la capitale. Mais les tempêtes, le vent, les siècles ont peu à peu dégradé jusqu'à ce dernier témoin. L'année dernière, il n'en restait que quelques pierres rongées, impossibles à identifier, entassées dans un coin de jardin.

– D'où viennent donc ces étranges masses de pierre ? avons-nous demandé à un vieux patriarche, qui passait par là.

– Comment, monsieur, dit-il aimablement, vous l'ignorez ? Ce sont les vestiges d'une antique statue. Vous voyez ? Autrefois, dans la nuit des temps…

Et il se mit à raconter.

Carnet de lecture

Qui êtes-vous, Dino Buzzati ?

De la montagne à la ville

Dino Buzzati (1906-1972) voit le jour à San Pellegrino di Belluno, au nord de la Vénétie, au pied du puissant massif des Dolomites. Il est le troisième des quatre enfants de la famille. Ses parents appartiennent à la haute bourgeoisie cultivée. Son père, Giulio Cesare, est professeur de droit à l'université de Pavie. Les Buzzati résident à Milan, mais passent l'été et les petites vacances dans leur villa de San Pellegrino. Cette villa aux nombreuses pièces, avec sa grande bibliothèque et son grenier peuplé de fantômes qui « n'ont jamais fait de mal aux enfants », va nourrir la fantaisie adolescente du futur écrivain. Mais le jeune Buzzati prend aussi plaisir à s'en échapper pour des excursions en montagne et devient rapidement un alpiniste accompli. On retrouvera dans toute son œuvre cet attrait pour le mystère et le fantastique, mais aussi son besoin de se confronter au réel.

À l'âge de quatorze ans, Buzzati perd son père. Au lycée, il rencontre Arturo Brambilla, avec lequel il partage ses premières impressions de lecture, sa passion pour l'égyptologie et les récits d'Homère, l'*Iliade* et l'*Odyssée*. Il entretiendra pendant trente ans une correspondance avec cet ami d'enfance.

Bien qu'il ait souhaité poursuivre des études littéraires à l'université, il s'inscrit en droit pour complaire à sa famille. Il termine ses études en 1928 et entre la même année comme chroniqueur au grand quotidien milanais le *Corriere della Sera*.

Journaliste et écrivain…

Buzzati restera toute sa vie au *Corriere della Sera*. Journaliste passionné, il débute aux faits divers avant de prendre en charge le supplément consacré à la littérature. L'expérience acquise comme chroniqueur va influencer l'écriture et les thèmes abordés par l'écrivain. En 1933, il écrit son premier roman, *Bàrnabo des montagnes*, suivi en 1935 par *Le Secret du vieux bois*. Dans ces deux romans, où la montagne et le fantastique tiennent une place essentielle, Buzzati dit déjà sa défiance à l'égard de la plaine et de la ville, et la nécessité de se ressourcer régulièrement dans la montagne.

Comme journaliste, Dino Buzzati cherche à émouvoir ses lecteurs et s'efforce de donner aux faits divers les plus banals une dimension fantastique. Comme romancier, il emprunte au langage journalistique pour clarifier son propos. Pour lui, en effet, « l'efficacité d'une histoire fantastique est liée à l'emploi de mots et de paroles les plus simples et les plus concrets possible ».

C'est durant les longues nuits passées à la rédaction du *Corriere della Sera* qu'il rédige son œuvre maîtresse, *Le Désert des Tartares*, dans lequel la fuite du temps et le caractère vain des actions humaines sont les principaux thèmes. Le manuscrit à peine remis à l'éditeur, en 1939, il est envoyé comme correspondant en Éthiopie, alors occupée par l'Italie. L'année suivante, il embarque comme correspondant de guerre sur différents vaisseaux de la flotte italienne et participe à plusieurs combats navals. En 1942, son premier recueil de nouvelles est publié sous le titre *Les Sept Messagers*. À la fin de la guerre, Buzzati retrouve son activité au sein du *Corriere della Sera*. C'est cette même année que paraît *La Fameuse Invasion de la Sicile par les ours*, un conte pour enfants illustré de ses propres dessins.

… mais aussi peintre

À partir des années 1950, Buzzati connaît un succès croissant. Sa réputation d'écrivain rejaillit sur sa carrière journalistique. Au *Corriere della Sera*, il s'intéresse toujours aux faits divers, aux drames quotidiens des Italiens, mais tient aussi des rubriques sportives sur l'alpinisme et le cyclisme, et rédige des critiques littéraires et artistiques. Il fait paraître différentes nouvelles et des contes souvent d'inspiration fantastique. En 1958, les *Sessanta racconti*, recueil d'une soixantaine de nouvelles, reçoivent le prix Strega, le plus important des prix littéraires italiens. En 1960, il publie un roman de science-fiction, *L'Image de pierre*, et en 1963, à la suite d'une déception amoureuse, *Un amour*, son dernier roman, mal accueilli par la critique, mais qui connaît un grand succès de librairie.

La même année, il surmonte sa déconvenue sentimentale en épousant la jeune Almerina Antoniazzi. Buzzati écrit aussi pour le théâtre en adaptant ses propres contes et nouvelles, il rédige des livrets d'opéra, des recueils de poésie, un roman graphique, *Poema a fumetti* (les poèmes-bulles), adaptation moderne en bande dessinée du mythe d'Orphée et d'Eurydice.

Cette dernière œuvre favorise la reconnaissance de Buzzati comme dessinateur et peintre, activités qu'il n'a jamais cessé de pratiquer. Un peu par provocation, il ira même jusqu'à déclarer : « Je suis un peintre, lequel par hobby, durant une période malheureusement un peu longue, a fait aussi l'écrivain et le journaliste. »

En 1972, Buzzati décède des suites d'un cancer. Certaines de ses œuvres littéraires sont adaptées au cinéma, notamment *Le Désert des Tartares*, en 1976, par Valerio Zurlini. Et ses peintures, qui mêlent le naïf, la métaphysique et le surréalisme, font l'objet de deux grandes rétrospectives à Milan, en 1991 puis en 2006.

Conte ou roman ?

Dessine-nous des ours

Nous savons par Buzzati lui-même comment est née *La Fameuse Invasion de la Sicile par les ours*. Sa sœur avait l'habitude de venir, le mercredi, avec ses deux filles de onze et douze ans dans la maison que l'écrivain partageait avec sa mère et ses frères. Un soir, à la demande de ses nièces, il se mit à dessiner un de ses paysages de montagne qu'il affectionnait particulièrement : plus précisément une bataille entre des ours et des soldats dans un décor de neige. Le dessin plut à ses nièces qui lui en demandèrent un autre le mercredi suivant. Il imagine alors que les ours, après avoir gagné la bataille, sont entrés dans la ville d'un tyran, et il dessine la scène du roi des ours entrant dans la chambre du despote vaincu. À partir de là, chaque semaine, il y eut un nouveau dessin, jusqu'à ce que ses nièces se lassent et passent à autre chose…

L'histoire aurait pu en rester là. Mais en 1945, le directeur du supplément hebdomadaire pour la jeunesse du *Corriere della Sera* demande à Buzzati de lui écrire une histoire illustrée pour les enfants. Buzzati repense à ses ours et accepte la proposition, même s'il est convaincu qu'« écrire pour les enfants est plus difficile que pour les adultes dont on sait plus ou moins comment ils pensent ». L'histoire de la fameuse invasion de la Sicile par les ours paraît donc en onze épisodes entre janvier et avril 1945 dans le *Corriere dei Piccoli*. Elle est alors divisée en deux parties : « La fameuse invasion des ours » et « L'adieu aux vieux ours ». Le *Corriere dei Piccoli* ayant décidé de cesser sa parution, Buzzati modifie en partie l'histoire afin qu'elle soit publiée dans son intégralité en décembre 1945.

Un conte épique et merveilleux

La Fameuse Invasion apparaît d'abord comme un conte, respectant la progression narrative habituelle à ce genre de récit.

Le conte débute par une présentation de la situation initiale où hommes et ours vivent séparément, les premiers dans la plaine, les seconds dans les montagnes « *mangeant des marrons, / Des champignons, des truffes, du genièvre, du thym / Dont ils se nourrissaient jusqu'à plus faim* ». Les ours sont bons, les hommes représentent le mal, comme le démontre la capture par deux chasseurs de Tonin, « l'ourson seul et sans défense ». Dès le début du récit, Buzzati plante ainsi le décor et présente les principaux personnages. L'époque, comme dans les contes traditionnels, n'est pas précisée. « *Cela se passait il y a bien longtemps* », et la Sicile décrite est bien imaginaire, même si la présence d'un volcan « *particulièrement beau* », avec « *une fumée semblable à un drapeau* », évoque l'Etna, point culminant de l'île, et que le sombre manoir du Tramontin est situé dans le massif Péloritain, chaîne montagneuse du nord-est de la Sicile.

Les principaux protagonistes de l'histoire possèdent des qualités ou des défauts qui les caractérisent. Léonce est un « ours de grande noblesse ». Il est « grand, fort, courageux », un vrai roi ! Le grand-duc est particulièrement méchant et sanguinaire, un vrai tyran ! L'ours Salpêtre, « toujours élégant, beau parleur », fait un traître idéal. Le gigantesque ours Babbon, redoutable combattant, est l'Ajax de cette moderne *Iliade*, et l'ingénieux Frangipane qui permet la prise de la capitale en est l'Ulysse.

Comme dans tous les contes, un événement vient perturber l'équilibre initial. Ici, c'est la faim, « une faim qui faisait pleurer, durant des nuits entières, les oursons les plus jeunes et leurs aînés aux nerfs fragiles », et aussi l'espoir du roi Léonce de retrouver son fils qui amènent les ours à descendre de la montagne et à se confronter aux hommes, engendrant ainsi de multiples péripéties : les combats des ours contre l'armée du grand-duc et les sangliers du sire de Molfette, la lutte contre le Croquemitaine, la prise de la capitale et le drame du Grand Théâtre Excelsior. Ces péripéties semblent trouver un heureux dénouement à la fin du chapitre sept : le tyran est chassé, le professeur De Ambrosiis réhabilité, le roi

Léonce a retrouvé son fils et est devenu roi d'une Sicile où « les hommes et les ours s'entendent fort bien et les jours s'écoulent paisiblement ».

Le merveilleux et la féerie propres aux contes sont particulièrement présents dans cette première partie du récit. Le professeur De Ambrosiis fait voler les sangliers avec sa baguette magique ; les ours font la fête au château de la Roche-Démon avec les fantômes de leurs frères morts au combat et affrontent des personnages monstrueux : Troll, le « vieil ogre perfide » et le féroce Croquemitaine. Mais le conte prend aussi une dimension épique en narrant les exploits du peuple des ours. Notamment avec l'utilisation de passages en vers reprenant la tradition orale des grandes épopées de l'Antiquité (l'*Iliade* et l'*Odyssée*) ou de la Renaissance italienne (*Orlando furioso* de l'Arioste) :

« *Et, à présent, bouche bée, écoutons*
De la Sicile, par les ours, la fameuse invasion. »

La quête du roi Léonce cherchant à retrouver son fils rappelle aussi Télémaque partant à la recherche de son père dans les premiers chants de l'*Odyssée*.

Et le conte devient roman

Au début du chapitre huit, le conte semble terminé. Tout va pour le mieux dans le royaume de Sicile : les hommes vivent en bonne entente avec les ours sous la direction avisée du roi Léonce et la prospérité règne.

« Treize ans ont passé », écrit le narrateur, et c'est un peu comme si commençait un deuxième livre plus romanesque. Le récit, moins imaginaire, montre davantage de réalisme et de vraisemblance. Si le merveilleux persiste avec la disparition du palais du bois des Rhizopodes, il est désormais au service du mal. À partir du chapitre huit, en effet, il n'y a plus de bons ours et de mauvais hommes. Les ambitions du chambellan Salpêtre, qui aspire à détrôner Léonce, le vol de la baguette magique du professeur De Ambrosiis, le pillage de la banque universelle, toutes ces péripéties nous ramènent à un triste quotidien, bien humain, trop humain... Le mystère magique est devenu complot, et c'est une véritable enquête policière que mène l'ours Jasmin. Les ours, corrompus au contact des hommes, sont devenus « orgueilleux, ambitieux, envieux, pleins de caprices », ridicules même au point de se vêtir avec de « grosses pelisses de fourrure ». Et si la mort du roi Léonce semble rétablir l'équilibre initial avec le retour des ours dans les montagnes, ce retour est rempli de tristesse et s'explique plus par la nécessité de respecter les dernières volontés du roi que par le désir des ours de retourner à leur vie primitive.

Illustrations et humour

Conte et roman, l'unité du récit de Buzzati est maintenue par la persistance du fantastique, mais aussi par les illustrations et l'humour.

Les dessins eux aussi racontent l'histoire

La Fameuse Invasion de la Sicile par les ours est illustrée par plusieurs dessins de la main même de Buzzati et qui sont loin d'être simplement décoratifs. « C'est comme si j'avais illustré avec l'écrit mes dessins et non l'inverse », dira Buzzati. Les portraits des principaux protagonistes accompagnent leur présentation au début du livre ; les autres dessins, placés en début ou en fin de chapitre, donnent à voir les moments clés du récit accompagnés d'un bref commentaire. Pour Buzzati, dessins et écriture poursuivent le même objectif : raconter une histoire. Ils contribuent à faire participer davantage le jeune lecteur car, pour lui, les enfants passent naturellement du concret (le dessin) à l'abstrait (l'écrit). Le jeune lecteur est ainsi invité à rechercher, sur le dessin représentant le bal clôturant la prise de la ville par les ours, le professeur De Ambrosiis, que « *son grand âge empêche de participer aux danses* » et qui s'est réfugié dans un petit coin... Cette complicité avec le lecteur, Buzzati la renforce en utilisant des mots et des paroles simples : « Majesté, ça va mal ! À la première bataille, nous avons pris une pile ! »

L'humour sous toutes ses formes

L'humour, de même, est présent tout au long du récit. Humour noir, par exemple, pour évoquer le terrible Troll qui « venait tout juste d'avaler la dernière bouchée d'un appétissant petit garçon du nom de Jojo Maliver, élève de cours moyen, deuxième année, qui ce matin-là avait fait l'école buissonnière ». Mais le plus souvent, l'humour naît du décalage entre le texte et les illustrations. Ainsi, le féroce Croquemitaine est représenté sous les traits d'un gros chat à longues moustaches de vieillard... L'humour est aussi présent dans les nombreux clins d'œil au lecteur qui font de lui un véritable témoin, voire un acteur de l'histoire. Des clins d'œil pleins d'ironie, où l'auteur se moque gentiment du lecteur : « *Il n'est pas possible que vous ne trouviez rien, / Vous qui êtes plus futés que dix diablotins !* » D'autres, encore, où il se moque de lui-même : « Il y avait, écrit-il par exemple, des contes, des vicomtes, des marquis et des baronnets ; jusqu'à un landgrave, dont nous-même ignorons ce que c'est au juste. »

Buzzati se moque aussi de ses personnages qui ne sont jamais exactement ce qu'ils devraient être dans un conte. Le roi Léonce est certes « grand, fort, courageux » ; mais il est aussi un peu naïf, un peu vantard, et c'est seulement quand l'ensemble des ours décide de descendre dans la plaine qu'il se préoccupe vraiment d'aller rechercher son fils. Le professeur De Ambrosiis, lui, a des pouvoirs bien limités puisque sa baguette magique ne peut servir que deux fois ; et il est si préoccupé de sa santé qu'il ment comme un arracheur de dents en prétendant au roi Léonce qu'elle ne peut servir qu'une seule fois… L'ogre Troll passe ses journées à dormir, Martonella, « le fameux brigand qui se vantait de ne craindre ni Dieu ni Diable », n'est courageux qu'entouré de ses sbires et pris de boisson, sans doute une pique contre la Mafia, la célèbre organisation criminelle en Italie… Buzzati va même jusqu'à présenter, au début du récit, des personnages qui n'y participeront pas : le loup-garou, le Vieux de la montagne et le hibou qui se contentera d'un appel mélancolique au chapitre deux.

L'humour provient enfin des énumérations en tout genre, notamment à l'occasion de la représentation théâtrale : les palefrois y côtoient les phoques dans un carrousel où « *des lions et des tigres, mais gentils* » côtoient un corps de ballet, venu nécessairement de Paris. De même, l'énumération des nourritures absorbées par le Croquemitaine – vampires, hyménoptères, carcajous, sapajous – pourrait figurer en bonne place dans la liste des jurons du capitaine Haddock.

La voie des ours

Quitter la ville pour la nature

Un conte ne saurait se concevoir sans une morale.

Celle de *La Fameuse Invasion* est portée par les ours, et plus précisément par leur roi. C'est lui qui dresse le constat : au contact des hommes, les ours « étaient devenus orgueilleux, ambitieux, envieux, pleins de caprices ». Un seul remède à cela, qu'il formule lui-même : « Quittez cette ville » !

On retrouve ici un des thèmes chers à Buzzati pour qui la montagne est un lieu où « l'homme tend à un état de tranquillité absolue ». Un lieu d'apaisement dans lequel lui, le journaliste, toujours pressé, avait l'habitude de se rendre, fuyant la ville, chaque année en septembre, après l'invasion touristique.

Rappeler les vertus de la nature a d'autant plus d'importance que, dans cette deuxième moitié du XXe siècle, les Italiens comme d'autres peuples d'Europe quittent en masse les régions montagneuses pour la plaine et les villes afin de répondre aux besoins de main-d'œuvre de l'industrie.

Défendre les ours

Les ours, pour Buzzati, incarnent cette résistance de la nature face à la ville. L'ours a été longtemps considéré comme le roi des animaux, avant de laisser la place au lion. On en faisait une créature à part, entre le monde des bêtes et celui des humains, un proche parent de l'homme, admiré, faisant l'objet de nombreux cultes et, pour cette raison, combattu dès le Moyen Âge par les autorités religieuses. Descendu de son trône en rejoignant la société des hommes, privé de tout prestige, il est, comme Tonin le fils du roi, transformé en bête de cirque, humilié, ridiculisé…

En 1948, dans le *Corriere della Sera*, Buzzati s'interrogeait déjà sur la disparition progressive des ours dans ses chères montagnes : « Mais quelle importance, dira-t-on, si les ours disparaissent des Alpes ? écrivait-il. C'est un peu se demander pourquoi ce serait un malheur si *La Cène* de Léonard de Vinci tombait en poussière. Ce serait un enchantement brisé, sans remède, une nouvelle défaite d'une nature déjà mortifiée parce que, plus la domination de l'homme s'étend sur les terres vierges, plus diminuent les possibilités de salut. »

Des ours et des hommes

Au-delà de cette défense des ours et de la nature, on retrouve dans le roman d'autres thèmes chers à Buzzati. Notamment celui de la fuite du temps :

« La vie hélas ! est un court passage
On croit avoir le temps, et n'être pas pressé,
Qu'on tourne seulement une page
Et voilà que treize ans ont passé. »

Le parcours des ours peut ainsi être vu comme une représentation des âges de la vie, de l'enfance heureuse dans la montagne aux désillusions de la maturité dans la ville, avant de retourner au point de départ et de disparaître. Pour Buzzati, les actions des hommes sont souvent bien vaines ; et il n'est pas certain que les ours obéissent longtemps aux dernières volontés du roi Léonce et qu'ils restent désormais dans leurs vieilles montagnes, maintenant qu'ils ont goûté aux plaisirs et aux richesses de la ville.

Table

Découvrez d'autres
grands textes
dans la collection

FOLIO JUNIOR
TEXTES CLASSIQUES

CONTES CHOISIS

Hans Christian Andersen

n° 686

« Je donnerai les trois cents années que j'ai à vivre pour être personne humaine un seul jour. » Une sirène prête aux plus grands sacrifices pour vivre parmi les hommes, un soldat de plomb amoureux d'une danseuse de papier, un sapin qui voudrait voyager... Les héros des contes d'Andersen portent tous en eux le même rêve : trouver leur place dans le monde et être aimés. Mais le courage et l'obstination peuvent-ils triompher des lois du destin ?

LA REINE DES NEIGES

Hans Christian Andersen

n° 1675

Pour jouer un mauvais tour aux hommes, le diable a fabriqué un miroir qui ne reflète que la laideur des choses. Atteint par un éclat de ce verre maléfique, le petit Kay se laisse entraîner par la Reine des Neiges dans son pays de glace. Gerda, son amie, est bien décidée à le retrouver. C'est le début d'un long voyage à travers le vaste monde…
Un des plus célèbres contes d'Andersen, envoûtant et poétique.

LES AVENTURES D'ALICE AU PAYS DES MERVEILLES

Lewis Carroll

n° 1723

La petite Alice s'ennuie, assise dans l'herbe... Quand un Lapin Blanc passe en marmonnant devant elle, Alice le poursuit jusque dans son terrier. Sa chute l'entraîne au centre de la Terre, où elle fait d'étranges rencontres : un Chat qui sourit, un Loir qui boit du thé, et une horrible Reine bien décidée à couper la tête de tout le monde...
Le chef-d'œuvre incontesté de l'absurde et de l'humour loufoque.

LE ROMAN DE RENART

Anonyme

n° 1238

Messire Renart n'a qu'une idée en tête : se remplir l'estomac. Maître dans l'art de la ruse et de la flatterie, il embobine Chantecler le coq, Tiécelin le corbeau ou le loup Ysengrin, son ennemi juré… Lassé des fourberies de ce turbulent vassal, Noble, le roi lion, est bien décidé à rétablir l'ordre dans son royaume.
Mais on ne soumet pas facilement Renart, qui a plus d'un mauvais tour dans son sac !

Le papier de cet ouvrage est composé de fibres naturelles, renouvelables, recyclables et fabriquées à partir de bois provenant de forêts plantées et cultivées expressément pour la fabrication de la pâte à papier.

Mise en pages : Dominique Guillaumin

Loi n°49-956 du 16 juillet 1949
sur les publications destinées à la jeunesse
ISBN : 978-2-07-511878-1
Numéro d'édition : 343561
Dépôt légal : mai 2019

Imprimé en Espagne chez Novoprint (Barcelone)